Un destin provençal

Shirley Vegas

Un destin provençal
Roman

LE LYS BLEU
ÉDITIONS

À mon père qui, bien que nous ayant quittés, est toujours présent dans mes pensées et dans mon cœur.
À toutes les personnes qui ont perdu un être cher. En espérant que ce roman puisse leur apporter du réconfort.
À Julio, Christophe, Coralie, Alicia et Julia.
À ma mère.

Le rire est une chose humaine, une vertu qui n'appartient qu'aux hommes et que dieu, peut-être, leur a donné pour les consoler d'être intelligents.

Le Spountz, Marcel Pagnol

1

Anna monta dans sa voiture, une Peugeot 307 de couleur grise que son père lui avait offerte pour son 25e anniversaire. Il avait fait selon lui une très bonne affaire, Anna était très attachée à ce véhicule et le faisait entretenir régulièrement, afin de le garder le plus longtemps possible.

Après avoir traversé le village de Carnoules, elle roulait maintenant sur la départementale en direction de Hyères, pour se rendre au marché installé dans la vieille ville aux ruelles étroites, que l'on appelle aussi le grand marché des îles d'or. Elle aimait beaucoup les étals des petites boutiques et tous les objets qui s'y trouvaient. Les commerçants y étaient très chaleureux et elle y chinait toujours des choses insolites.

Il était presque dix heures. La journée s'annonçait brûlante, il n'y avait pas de mistral, la chaleur devenait étouffante. Après avoir rempli son panier en fruits et légumes, Anna descendit la rue des petites boutiques et s'affaira devant les étalages à la recherche d'un bibelot qui l'attirerait. Son regard se posa sur un Bouddha en bois clair bien patiné. Il était assis en prière et semblait transmettre de l'apaisement. Anna fut immédiatement séduite et l'acheta. Ensuite, elle se dirigea vers le parking pour reprendre son véhicule. En chemin, elle aida une personne âgée à traverser la rue :

— Puis-je vous aider, Madame ?

— Oui, bien sûr ! La circulation est tellement dense à cette heure-ci… On se demande où vont toutes ces voitures.

La vieille dame prit machinalement le bras d'Anna et elles traversèrent la rue sur le passage pour piétons. Anna remarqua qu'elle était encore bien coquette pour son âge. Elle apercevait un maquillage discret, ses ongles étaient vernis et son parfum délicat était agréable. Après un remerciement courtois de la vieille dame, Anna rejoignit sa place de stationnement.

Sur la route du retour, elle s'arrêta au Café de l'église, à Cuers, pour se désaltérer. Elle trouva une place pour se garer au centre Marcel Pagnol. Le bistrot de l'église avait installé sa terrasse sur la place ornée de gros platanes. Leur ombrage apportait beaucoup de fraîcheur lors des journées ensoleillées. Les pigeons aimaient se protéger du soleil sous les larges feuilles verdoyantes, ce qui n'était pas sans incidence pour la clientèle : on retrouvait quelques fientes ici et là sur le sol, que le soleil séchait rapidement. Le cafetier avait donc installé de larges parasols de couleur orange au-dessus des tables.

Anna choisit de se placer à côté de la ruelle donnant devant l'église. Elle posa son sac à main sur ses genoux et en sortit une pince pour attacher sa magnifique chevelure châtain clair, ensuite elle remit une touche de gloss sur ses lèvres pulpeuses et cacha ses yeux verts légèrement maquillés derrière ses lunettes de soleil. Puis elle se dirigea vers le serveur et commanda une eau gazeuse sur des glaçons. Elle but à petites gorgées, afin d'apaiser sa soif.

Un couple vint s'asseoir à côté de sa table, il était accompagné de deux jeunes enfants, une petite fille d'environ six ans et un garçonnet assis dans une poussette. Anna leur fit un sourire en les saluant d'un signe de la tête. La fillette s'amusait avec le petit garçon et Anna trouva ce moment tendre et très touchant. Elle s'attarda donc à les regarder.

Cette fin de matinée était de plus en plus chaude. Les rayons du soleil passaient au travers du feuillage en créant de jolies teintes dorées. Beaucoup de vacanciers faisaient une halte sur cette place pour s'y rafraîchir, les enfants profitaient de l'eau de la fontaine et s'amusaient gaiement ce qui réjouissait leurs parents.

Anna régla sa consommation, Elle quitta la place et se dirigea vers l'église. Elle aimait s'y recueillir, cet endroit l'apaisait et elle y trouvait beaucoup de réconfort.

Elle poussa la lourde porte en chêne du lieu saint et pénétra dans un petit hall de baies vitrées servant de sas pour préserver la bâtisse de la chaleur extérieure. Elle se dirigea ensuite vers la nef. L'allée centrale donnait sur l'autel, le Christ était entouré de ses saints et Marie semblait veiller sur lui. Le soleil de juillet filtrait à travers les vitraux et illuminait les voûtes et les arcades. Une petite fenêtre laissait passer un puits de lumière presque magique, qui semblait auréoler tout ce qui s'y trouvait. Le reste de l'église était dans une pénombre apaisante, qui incitait à la prière.

Anna entendit une porte grincer au fond de la nef et vit le prêtre de la paroisse la franchir. Pour se recueillir, elle choisit de prendre place près du chœur. Elle s'installa et ferma les yeux à la recherche de réconfort. Se rendre à l'église régulièrement l'aidait à surmonter sa peine. Soudain, elle se remémora les évènements de cette épouvantable journée, l'accident tragique qui avait ôté la vie à ses deux parents, le jour où la sienne s'était brisée en quelques secondes.

— Déjà deux ans, pensa-t-elle.

Ses souvenirs restaient intacts, très précis. Comment oublier ce jour où elle était devenue orpheline, alors qu'elle n'avait ni frère, ni sœur, ni grands-parents ? Il ne lui restait plus que sa tante Cécile, la sœur jumelle de sa maman, qui vivait à Lyon.

Anna ressentait quelquefois un grand vide en elle et beaucoup de solitude.

Elle plongea dans ses souvenirs… Elle était dans son appartement, un trois-pièces avec balcon. Elle regardait un film à la télévision. Tout à coup, la sonnette retentit. Anna en fut étonnée, car elle n'attendait pas de visite. Elle alla ouvrir. Surprise, elle vit deux gendarmes, qu'elle trouva d'humeur chagrine. Tout de suite, elle ressentit un frisson dans tout son corps, un mauvais pressentiment. Son cœur se serra et sa respiration devint difficile. Les gendarmes remarquèrent sa pâleur soudaine et demandèrent à entrer un moment. Après avoir vérifié son identité, ils lui annoncèrent l'horrible nouvelle, avec beaucoup de ménagement, certes, mais quel choc ce fut pour elle ! C'était tellement inattendu. Le plus ancien des gendarmes prit la parole :

— Vos parents ont eu un accident très grave, un choc frontal avec un autre automobiliste sur la nationale près de Cuers. Nous avons le regret de vous annoncer leur décès. Ils sont morts tous les deux pendant leur transfert à l'hôpital de Brignoles. Une enquête va être ouverte…

Sur le coup, Anna ne saisit pas bien le sens de ces paroles. Ce n'était pas possible, ils se trompaient sûrement. On ne peut pas perdre ses parents comme ça, tous les deux en même temps. Non, elle ne le voulait pas, elle ne le voulait surtout pas. Son corps tout entier disait non, non, non... Ce n'était pas possible. Et tout à coup, elle sentit que ses jambes se dérobaient. Elle s'écroula en perdant connaissance. Heureusement, un des gendarmes la retint et lui évita la chute. Un médecin urgentiste fut appelé immédiatement. Chose surprenante, il arriva très rapidement. La jeune femme avait repris connaissance, mais restait inerte. Le choc de cette annonce avait été si violent que cela l'avait figée. Les gendarmes compatissaient et avaient beaucoup de peine pour elle.

Le médecin l'examina et lui administra un calmant, une injection par voie intramusculaire afin que l'effet soit plus rapide. Elle fut transportée dans sa chambre pour s'y reposer un peu. L'urgentiste connaissait bien sa famille et il se permit d'appeler son ex-petit ami, Pierre. Il savait qu'ils étaient restés très proches et qu'une grande amitié les liait encore.

Pierre arriva en un temps bref.

— Comment va-t-elle, docteur ?

— Pas fort, je lui ai administré un calmant. Il faut qu'elle se repose un peu.

— Ce qui vient d'arriver à ses parents est terrible.

— Oui, c'est vraiment un choc ! Pierre, peux-tu rester auprès d'elle jusqu'à demain matin ?

— Ne vous inquiétez pas, docteur, je suis en congés, je peux rester.

— Merci, cela me rassure, car il ne faut pas qu'elle reste seule. Je reviendrai demain matin pour prendre de ses nouvelles.

Allongée sur son lit, Anna semblait apaisée, le calmant faisait son effet. Pierre plaça un fauteuil confortable près d'elle et s'y installa. Durant toute la nuit, Anna fut agitée. Pierre la rassurait d'une voix douce à peine audible. Il savait combien elle aimait ses parents et qu'il serait très difficile à son amie de surmonter cette épreuve. Cependant, pour Anna, il serait toujours là. Il souhaitait l'aider, afin qu'elle retrouve la force nécessaire de faire son deuil.

Quelques jours s'écoulèrent jusqu'aux obsèques, par un bel après-midi de printemps. Anna avait choisi d'enterrer ses parents au cimetière de Carnoules. Le soleil était au rendez-vous. Beaucoup de personnes s'étaient déplacées pour rendre un dernier hommage à ces deux professeurs qui avaient enseigné au lycée Marcel Pagnol de Brignoles. Sa mère, Emma, avait 52 ans et son père, Louis, en avait 53. Ils étaient jeunes et avaient encore tellement de choses à faire et à vivre ensemble. Le destin en avait décidé autrement et il fallait l'accepter. Ainsi va la vie avec toutes ses épreuves.

Anna reprit son travail une semaine après la cérémonie funèbre. Elle avait besoin de retrouver ses repères et surtout de se vider la tête en pensant à autre chose. Elle était comptable pour un groupe pharmaceutique situé à Brignoles. La première journée fut difficile. Elle lisait la compassion sur le visage de ses collègues, ils étaient tous tellement désolés de ce qu'elle vivait et ils ne savaient comment l'aider.

Sa vie professionnelle reprit vite son rythme. Le printemps tourna le dos pour laisser place à l'été et à ses longues soirées. Anna fit beaucoup d'efforts pour avoir en elle un semblant de vie, mais elle se sentait très éprouvée.

Cela faisait maintenant deux ans qu'ils n'étaient plus là et elle se demandait toujours comment elle avait fait pour surmonter cette dure épreuve. La thérapie qu'elle avait suivie l'y avait beaucoup aidée. Toujours à l'église de Cuers, elle priait et demanda au Seigneur :

— Pourquoi me les as-tu pris ? Pourquoi tous les deux ? Qu'ai-je fait pour mériter cela ? Seigneur, si tu savais combien ils me manquent, si tu savais combien je les aimais.

Anna attendait un semblant de réponse, qui n'arriva pas. Le seigneur ne lui offrit que le réconfort de la prière.

Anna avait appris à vivre sans ses parents. Se rendre régulièrement à l'église l'aidait à surmonter sa peine. Elle se surprenait même à engager la conversation avec ses parents dans cet endroit paisible, elle leur racontait les grands évènements de sa vie, elle avait l'impression qu'ils étaient présents et qu'ils l'écoutaient avec beaucoup d'attention. Cela lui faisait du bien, cela lui réchauffait le cœur, elle avait tellement besoin d'y croire...

Quand Anna se leva pour quitter l'église, une femme attira son attention. Elle était assise à droite de l'autel, elle priait. Elle était vêtue d'un tailleur noir, portait un châle de couleur bordeaux sur les épaules. Sa tête légèrement baissée laissait paraître un visage aux traits fins, légèrement maquillé. Les rayons du soleil, qui pénétraient par le vitrail supérieur de la nef, donnaient des reflets auburn à sa chevelure coupée au carré.

Anna ressentit la tristesse qui émanait de cette personne et en déduisit qu'elle aussi avait perdu un être cher.

Anna referma la porte de l'église derrière elle. Sa peine était devenue plus supportable, même si la tristesse était toujours présente. Elle décida qu'il était temps de rentrer pour retrouver son petit Howard, un yorkshire terrier gris clair de petite taille, dont elle aimait beaucoup la compagnie. Pierre lui avait offert ce chien pour ses vingt-sept ans. Une très belle soirée, se souvenait-elle, il y avait déjà cinq ans.

Pierre l'avait emmenée au restaurant. Pendant ce temps, une personne complice avait introduit à son insu le chiot dans leur appartement. Anna se rappelait cette petite boule de poils dans son panier, il était si mignon ! Elle avait pris ce petit trésor dans ses bras et l'avait blotti tout contre elle. Elle l'avait tout de suite aimé et ne pouvait rêver d'un plus beau cadeau. Pierre lui avait fait une belle surprise, elle ne s'y attendait vraiment pas. Depuis quelque temps, elle souhaitait un animal de compagnie et Pierre avait exaucé son souhait.

C'était ainsi que Howard avait pris une place très importante dans sa vie.

Ils faisaient tous deux régulièrement de grandes balades sur le canal à Carnoules. Ils croisaient quelquefois une tortue, qui elle aussi se promenait. Howard la reniflait et passait son chemin.

En allant récupérer sa voiture, Anna consulta son téléphone portable. Pierre lui avait laissé un message pour prendre de ses nouvelles, chose qu'il faisait régulièrement depuis le décès de ses parents. Elle décida de le rappeler :

— Tu as essayé de me joindre tout à l'heure ?

— Oui, je vais aller voir une exposition sur Jean Giono, samedi prochain. Si tu veux, nous y allons ensemble. Cela te dit ?

Pierre savait qu'Anna aimait beaucoup les auteurs provençaux : Marcel Pagnol, Frédéric Mistral, Jean Giono et bien d'autres. Elle était exaltée par l'idée et lui répondit immédiatement.

— Bien sûr que cela me dit ! Cela me fait même très plaisir. Tu passeras me prendre ?

— D'accord.

Anna appréciait beaucoup le soutien de Pierre. Depuis leur séparation, leur amour s'était transformé en une grande et belle amitié. Ils étaient restés très complices et elle savait qu'elle pouvait compter sur lui dans ses moments de tristesse. Maintenant, elle le considérait comme son frère, elle avait besoin de sa présence. Ils avaient vécu des moments tellement forts que leur lien était devenu indéfectible.

Elle pensa à ces merveilleuses années. Ils avaient été heureux tous les deux. Puis l'amour s'en était allé, comme ça, sans que l'on comprenne pourquoi. C'est fragile, l'amour. C'est quand on l'a perdu que l'on s'en rend vraiment compte. Un vide s'installe au fond de soi, on sent qu'il nous manque quelque chose, et on réalise que, lorsque l'on est entouré d'amour, il faut en prendre soin, bien le cultiver, comme une plante que l'on arrose régulièrement pour la maintenir en vie. L'amour, c'est pareil, il faut l'entretenir pour qu'il ne meure pas. Pourquoi faut-il que les sentiments évoluent ? Leur amour s'en était allé au fil des jours, mais heureusement la tendresse, elle, était restée, elle était présente dans toutes les épreuves que traversaient l'un et l'autre.

Leur séparation avait eu lieu en plein hiver. Anna était retournée vivre chez ses parents durant quelque temps. Elle avait ensuite pris un appartement dans le centre-bourg de Carnoules.

Pendant plusieurs mois, ils s'étaient appelés régulièrement pour avoir des nouvelles et rester en contact. Puis ils avaient commencé à se revoir et à organiser des sorties ensemble. Par évidence, ils étaient devenus de très grands amis, respectueux l'un envers l'autre. Peu de personnes profitaient d'une telle amitié dans leur destin.

Anna avait toujours été une jeune femme réservée, un peu mystérieuse et très agréable, née au cours du troisième décan de septembre, ce qui lui donnait des qualités de caractère remarquables et marquées par la sincérité. C'était une personne très perfectionniste, méticuleuse, qui ne laissait jamais rien au hasard. Elle aimait le raffinement, autant sur sa personne que dans son intérieur, qui était très bien tenu et joliment décoré. Anna était une personne cultivée qui aimait échanger sur ce qui la passionnait, notamment les auteurs provençaux, dont elle possédait beaucoup d'ouvrages.

Sur la route du retour, elle entendit soudain sa chanson préférée, la reprise de Céline Dion de *Quand on n'a que l'amour*. Elle se dit qu'elle avait la voix idéale pour chanter ce texte et se surprit à fredonner le refrain qu'elle aimait tant :

— Quand on a que l'amour, à s'offrir en partage, au jour du grand voyage, qu'est notre grand amour…

De retour dans son appartement, Anna se prépara une assiette de crudités avec les légumes du marché. Elle ajouta quelques lamelles de parmesan, des pignons de pin et se servit un grand verre d'eau. Il était déjà 14 h 30 et la faim commençait à se faire sentir.

Elle prit son plateau et alla s'installer dans le canapé avec Howard, qui se coucha près d'elle, le temps que sa maîtresse engloutisse son repas. Ensuite, Anna prépara son sac à dos, y rangea de l'eau fraîche, vérifia que le petit gobelet du chien était bien présent et referma le sac qu'elle mit sur ses épaules. Elle saisit le harnais d'Howard et le lui enfila. Le chien était si content qu'il le fit savoir à sa maîtresse en sautillant de joie.

Ils sortirent de l'appartement, descendirent les escaliers, contournèrent la place derrière l'immeuble et remontèrent la ruelle donnant accès au canal. Elle retira la laisse du chien dès qu'il fut en sécurité, afin qu'il puisse aller et venir à son aise, en veillant toutefois à ce qu'il ne s'éloigne pas trop d'elle. Howard était obéissant et il se mettait à l'arrêt, chaque fois qu'elle le lui demandait.

Il était 16 h 15, le ciel était bleu azur et, sur les hauteurs du canal, avec l'ombrage de la forêt, il faisait bon, on sentait l'odeur des pins. Anna en profita pour faire un peu de cueillette, les mûres qui proliféraient le long des talus étaient délicieuses. Howard trottinait et faisait une halte de temps à autre, pour renifler une pomme de pin ou un morceau de bois. Sur le point le plus haut de la promenade, la vue était magnifiquement dégagée, on pouvait apercevoir le village en contrebas avec ses maisons aux couleurs chatoyantes, ses petites ruelles, la fontaine à l'ombre du gros platane et, bien sûr, le clocher de l'église. Au loin, sur la colline entourée de vignes, les chênes verts et les pins dominaient. On apercevait quelques sentiers aux reliefs accidentés que les chasseurs arpentaient durant la saison de la chasse. Toute cette vue méritait que l'on s'y attarde.

Il y avait peu de promeneurs à cette heure-ci, ce qui rendait la sortie très agréable, car Howard était plus facile à surveiller.

Anna fit une pause pour le faire boire, puis rebroussa chemin, afin de ne pas trop fatiguer le chien, qu'elle portait de temps à autre.

De retour à l'appartement, elle sortit son téléphone et composa le numéro de son amie Sophie.

— Un ciné ce soir, ça te dit ?

— Oui, les enfants passent quelques jours chez ma mère.

— On se retrouve là-bas à 20 heures.

Anna était contente que son amie soit libre pour la soirée.

Sophie travaillait avec Anna à la comptabilité. Au début, elles étaient de simples collègues puis, au fil du temps, un lien très fort s'était tissé entre elles. D'un regard, elles devinaient les pensées de l'autre et pouvaient ainsi anticiper ses attentes. Sophie était bonne conseillère et ne jugeait pas, Anna appréciait sa compagnie, qui lui apportait beaucoup de joie et diminuait ses peines. Par évidence, elles étaient devenues amies. Anna avait trouvé en Sophie la sœur qu'elle n'avait pas eue et elle l'aimait bien plus que l'on aime une amie.

Sophie avait 33 ans. Elle était mariée à Clément qui était urgentiste à l'hôpital de Brignoles. Ils avaient eu ensemble deux magnifiques enfants : Ugo, l'aîné, avait six ans, la petite dernière, Alice, avait trois ans et ce petit monde formait une belle famille bien unie. Anna avait beaucoup de plaisir à les rencontrer régulièrement.

2

Anna s'installa dans le canapé et Howard se lova près d'elle, si près qu'elle entendait sa respiration. Elle s'endormit et se laissa emporter dans un rêve qu'elle faisait de temps en temps, depuis le décès de ses parents.

Soudainement, malgré les 27° qu'il faisait dans l'appartement, elle eut froid. Mais elle se sentit bien, un bien-être intense l'envahit. Puis elle entendit des voix, elle perçut comme une présence. Un contact glacial sur sa joue la fit tressaillir : on l'avait embrassée et, maintenant, on lui prenait la main. Dans son inconscience, elle se dit :

— Mon Dieu, que ce contact est froid !

Elle frémit, pourtant elle aimait cette relation, c'était si fort ! Elle ressentit de l'amour. Elle ne comprenait pas ce qui se passait, mais se sentait bien dans cette léthargie, elle avait besoin que cela dure encore et encore…

Puis elle entendit des voix. Oui, on lui parlait, elle entendit ces mots :

— Mon ange, ma petite fille, nous sommes là. Nous t'aimons, ne l'oublie jamais. Beaucoup de temps s'est écoulé depuis notre départ et le moment est venu de penser à toi, mon ange. Il faut que tu acceptes ton destin, on ne peut pas changer ce qui est écrit, il faut apprendre à vivre avec. C'est dur, mais il le faut. Oublie ta peine, chasse ta tristesse, laisse entrer la lumière dans ta vie. Nous allons essayer de te guider vers le bonheur, mais tu dois faire des efforts. Nous sommes là, près de toi. Tu ne nous vois pas, mais nous sommes là, nous veillons sur toi. Nous voulons te voir heureuse. Tu comprends, mon ange, nous voulons te voir sourire. Il est si beau, ton sourire. Anna, suis la lumière du bonheur et nous te guiderons. Souviens-toi de ces mots, ma petite fille.

Inconsciemment, Anna savait que ses parents étaient près d'elle, elle ressentait leur présence. C'était si fort que c'en était indescriptible.

Puis on lui parla encore. Elle reconnut la voix de son père. Il la rassura :

— Ma petite fille, nous avons trouvé notre chemin. Nous sommes en paix et nous ne sommes pas seuls, nous avons retrouvé ici, dans ce monde, tous nos chers disparus : amis, famille, ils sont tous là, ils nous attendaient. Anna, ma chère petite fille, tu dois maintenant penser à toi. Laisse entrer la lumière dans ta vie. Elle va réchauffer ton cœur. Nous t'aimons si fort…

Anna sentit à nouveau un contact glacial sur sa joue. Malgré son inconscience, elle était sûre qu'une personne l'avait embrassée. Elle entendit à nouveau la voix de sa maman :

— Mon ange, nous restons près de toi quelque temps, mais, bientôt, il nous faudra nous éloigner pour aller vers notre totale béatitude. Une nouvelle vie va démarrer pour nous, ici, dans cette autre dimension. Mais, avant de partir, nous voulons te voir heureuse. Nous t'aimons tant, laisse-nous te guider et arrête de te torturer en pensant constamment à nous. Nous sommes heureux ici, dans notre nouveau monde avec tous les nôtres. Ne t'inquiète plus pour nous, poursuis ton chemin, cherche le bonheur, car il t'attend. Anna, tu vas te réveiller en douceur. Souviens-toi de ce moment, car il a vraiment existé.

Tu ne seras plus jamais seule. Même si nous sommes loin, nous resterons toujours près de toi. Nous t'aimons si fort ! À bientôt, mon enfant.

Anna se réveilla. Elle se répéta ces mots : « laisse entrer la lumière dans ta vie, mon ange, laisse entrer la lumière ».

Elle bredouilla :

— Maman, c'est toi ? Maman ? Tu m'as toujours appelée mon ange et si peu par mon prénom... J'ai rêvé ? Est-ce que j'ai rêvé ? Que s'est-il passé pendant que je dormais ?

Elle se sentait bizarre.

— J'ai l'impression qu'ils sont venus, qu'ils étaient là, avec moi.

Elle ressentait encore leur présence, quelque chose dans l'atmosphère évoquait cette sensation.

— Ils sont venus près de moi, j'en suis certaine. Comment est-ce possible ? Papa, maman, êtes-vous là ?

Bien sûr qu'ils étaient encore là ! Ils regardaient leur enfant se réveiller et veillaient à ce qu'elle réagisse bien à leur message. Anna ne les voyait pas, ne pouvait pas les entendre, car seules leurs âmes étaient présentes et elles allaient s'éloigner jusqu'à une prochaine visite. Anna ressentait un bien-être absolu, elle savait, elle en était convaincue, qu'il s'était passé quelque chose. C'était plus qu'un simple rêve :

— J'étais en communication avec eux, j'en suis certaine !

Elle ne s'expliquait pas comment cela avait pu arriver, mais leur présence avait été réelle. C'était fort, elle avait senti leur présence, elle en était encore toute troublée.

— Comment expliquer ce phénomène ? Ils étaient là ! Est-ce que les âmes existent vraiment, dans une autre dimension ?

Elle était toute chamboulée et resta dans le canapé à essayer de se remémorer l'intégralité de son rêve.

— Papa, maman, je vous ai sentis. Comment est-ce possible ? Êtes-vous encore là ? Je sens votre présence. Je vous aime, je vous aime si fort tous les deux ! Vous me manquez terriblement, je pense à vous très souvent… J'ai bien compris votre message : vous êtes là, dans cette autre dimension, pour veiller sur moi. Moi qui suis cartésienne, rationnelle, je dois concevoir ce phénomène étrange qui dépasse tous mes raisonnements logiques. Comment est-il possible d'être en contact avec des personnes décédées ? Je tombe des nues, mais maintenant je crois au pouvoir de l'âme qui peut voyager, invisible certes, mais présente. Il faut juste y croire pour que les entités restent éternelles. Les âmes sont donc vraiment des présences bénéfiques. Moi qui ne voulais pas croire aux visiteurs de l'après-vie… Ainsi nous ne sommes jamais seuls. Encore faut-il le savoir, y croire tout simplement. Le monde parallèle existe et il s'offre à nous si nous le souhaitons.

Anna s'était remise de ses émotions, mais elle sentait que quelque chose avait changé dans son corps sans qu'elle puisse l'expliquer.

Elle était apaisée. Elle avait toujours du chagrin, mais son poids était différent. Un changement avait eu lieu dans sa chair, elle le savait, car sa tristesse était différente, plus légère. Elle n'était plus oppressée, elle n'éprouvait plus cette angoisse permanente qui l'empêchait de sourire.

Anna sut à ce moment-là que sa vie allait changer et qu'elle devait ce changement à la visite de ses parents. Cela la conforta dans le fait qu'elle n'avait pas rêvé, tout était bien réel.

Après s'être tout à fait réveillée, elle décida d'appeler son amie Sophie et d'annuler la sortie cinéma prévue le soir même.

— J'aimerais remplacer notre ciné par une soirée chez moi. J'aimerais me confier à toi : cet après-midi, pendant ma sieste, j'ai fait un rêve étrange, mais si réel ! Il faut que je t'en parle, que tu m'aides à comprendre ce qui m'est arrivé.

— D'accord. Veux-tu que j'apporte quelque chose ?

— Non, ça ira. J'ai fait des courses ce matin, je suis allée à Hyères au marché.

— Alors, à ce soir. Vers 19 heures, ça te va ?

— Oui, c'est très bien.

Anna savait que Sophie avait des croyances différentes des siennes. Elle était de ce fait la personne la mieux placée pour l'aider à y voir plus clair et à comprendre ce qui s'était produit dans son corps.

Elle s'affaira dans la cuisine à anticiper la préparation du repas, ce qui lui permettrait d'avoir plus de temps pour se confier à son amie. Elle souhaitait le servir sur des plateaux individuels. Elle les sortit et posa les couverts dessus. Ensuite, elle mit le boulgour à cuire, afin qu'il ait le temps de refroidir, lava les légumes pour préparer une salade composée, puis fit cuire le saumon frais. Elle trancha des lamelles de parmesan. Elle vérifia qu'il restait suffisamment de citronnade pour l'apéritif et sortit quelques feuilles de vigne farcies, Sophie en était friande. Pour le dessert, il lui restait des macarons, ce serait parfait.

Anna était satisfaite. Le repas était quasiment prêt, il ne restait plus qu'à faire le dressage dans chaque plateau. Son amie n'allait pas tarder à arriver.

Elle se dirigea vers le salon et proposa une sortie à Howard. Elle en avait le temps et le chien, heureux, montra sa joie.

De retour à l'appartement, Anna dressa les assiettes, mit le dîner sur les plateaux, qu'elle rangea dans le réfrigérateur. Dix minutes plus tard, Sophie sonna à la porte d'entrée. Elle avait le pressentiment que quelque chose de très particulier s'était produit, sinon Anna n'aurait jamais annulé leur soirée ciné.

Les deux jeunes femmes s'embrassèrent.

— Tu m'as inquiétée, Anna, j'avais hâte d'être là pour que tu m'en dises plus. Que s'est-il passé ?

— Allons au salon, j'ai préparé une citronnade avec des feuilles de vigne… Pendant ma sieste, j'ai refait le rêve, dont je t'ai déjà parlé. Cette fois, il était très différent. Je ne sais pas si je vais être en mesure de bien te le restituer, mais je vais essayer…

Anna lui retraça les évènements, en lui donnant au fur et à mesure de son récit toutes ses impressions. Elle s'appuyait sur son intuition pour relater ici et là les moments forts qu'elle avait vécus.

Inconsciemment, elle en était encore très perturbée et Sophie ressentit son émotion. Celle-ci chercha les mots les plus justes, pour limiter l'angoisse de son amie. Vu son récit, Sophie était persuadée que c'étaient bien ses parents qui lui avaient rendu visite. Cela pouvait arriver, elle avait lu plusieurs articles sur ce sujet qui la passionnait.

Sophie était croyante. Pour elle, une âme ne mourait jamais, c'était un éternel prolongement de la vie. Seul le corps physique retournait à la poussière. La puissance de l'esprit, elle, restait à jamais infinie.

Anna et elle ne s'étaient jamais entendues sur ce sujet qu'elles préféraient constamment censurer d'office. Le point de vue d'Anna était rationnel, elle ne pouvait concevoir ce qui était pour elle inacceptable. Il lui était impossible de songer à de pareilles choses, cela ne pouvait pas exister.

Mais, ce jour-là, elle se posait beaucoup de questions, elle était prête à mettre en sourdine son côté cartésien. Son rêve si réel, non imaginaire, l'obligeait à voir les choses différemment, avec plus de clairvoyance. Maintenant, elle pourrait être plus lucide face aux évènements.

Elle demanda à Sophie :

— Les âmes existent vraiment ? Mes parents étaient là, tout près de moi ? Comment puis-je en être certaine ?

Elle proposa d'aller chercher les assiettes. Elle les plaça sur les plateaux et les apporta dans le séjour. Le temps du repas, elles s'installèrent autour de la table ronde.

— Dis-moi, Sophie, honnêtement, que penses-tu de tous ces évènements ?

— Je ne veux pas te brusquer, mais, pour moi, tes parents sont bien venus te rendre visite. Il y a sûrement une raison à cela. Il faut essayer de comprendre. Il doit y avoir un lien avec ton toi intérieur, ta tristesse par exemple qui ne te quitte pas depuis leur décès. Je pense qu'ils sont venus en sauveurs. Ils ne supportaient plus de te voir dériver. Tu sors peu, tu ne t'amuses plus, tu portes toujours le deuil en toi… Je pense que le lien est là. Tu me dis avoir entendu plusieurs fois « laisse entrer la lumière dans ta vie ». Cela laisse supposer qu'ils te sentent malheureuse au plus profond de toi. Cela doit leur faire de la peine. Depuis que tu as rompu avec Pierre, tu n'as eu aucune relation amoureuse, tu es seule avec Howard. C'est peut-être une piste.

— Oui, peut-être. Les mots de maman dont je me souviens sont « tu dois penser à toi, nous voulons te voir heureuse, avant de partir pour le grand voyage ». Elle m'a également dit :

« avec papa, nous sommes très heureux et nous sommes près de toi, si près de toi ».

— Je pense que tes parents sont venus avant le grand voyage qui les emmènera au pays de l'éternité et qu'ils veulent vraiment te savoir heureuse avant de partir.

— Je pense que tu as raison. Je veux y croire, car quelque chose a changé en moi, je le sens : mon cœur est toujours en peine, mais il est beaucoup plus léger. Il s'est vraiment passé quelque chose pendant que je dormais. Mon corps intérieur a un petit quelque chose de transformé qui ne s'explique pas. Tu sais à quel point je suis cartésienne et combien il m'est difficile d'accepter ces phénomènes étranges. Pourtant, aujourd'hui, je mets de côté mes raisonnements logiques. Je sais maintenant, j'en suis totalement convaincue, que des entités bienveillantes nous entourent et nous aident à leur façon dans notre malheur. Mes parents sont là, quelque part, dans un monde parallèle, une autre dimension, mais ils sont présents et je le sens. Je veux croire à ce monde-là en pensant à eux, ils font partie des âmes bienveillantes qui m'entourent et ils veulent prendre soin de moi. Il me suffit de fermer les yeux et de penser à eux pour ressentir leur présence, c'est vraiment extraordinaire. Je crois maintenant à l'au-delà, moi la cartésienne !

— La vie est éternelle. Il faut juste y croire et ne pas avoir peur. Si tu veux, je te prêterai le dernier livre de Patricia Darré. Cette médium, dont les dons sont très connus dans toute la France, a écrit plusieurs livres que j'adore, dans lesquels elle évoque ses rapports avec l'au-delà. Elle y décrit très bien tout ce qui nous entoure et nous protège. Elle nous offre du réconfort en nous ouvrant les yeux sur un autre monde. Nous ne sommes jamais seuls ! Ses livres donnent à réfléchir. En lire un te permettra de mieux comprendre ce qui s'est passé pendant que tu dormais. Tu pourras l'interpréter à ta manière. Nous vivons dans un monde si terrien, que les gens ne comprennent pas toujours les petits signes, sans doute parce que cela peut être très déstabilisant.

Anna et Sophie rapportèrent les plateaux dans la cuisine, ensuite elles s'installèrent au salon avec les macarons et leur tasse d'infusion.

— Sophie, je suis très contente de notre conversation. Tu as ouvert mes sens, je me sens mieux, tu m'as aidée à y voir plus clair. Il fallait vraiment que je me confie à toi, tu es la seule personne à pouvoir comprendre ce que j'ai vécu, toi seule peux avoir un regard objectif et je t'en remercie.

Anna embrassa tendrement son amie.

À 22 heures, les deux amies se quittèrent et se dirent à bientôt. Sophie regagna sa voiture. La nuit était silencieuse. Il faisait bon. La température avait légèrement diminué.

Par la fenêtre du salon, Anna regarda son amie s'éloigner. Il était temps de sortir Howard, qui commençait à s'impatienter. Après lui avoir mis son harnais, elle le prit dans ses bras pour descendre les escaliers. Elle se dirigea vers la placette autour des buissons et ils remontèrent la rue jusqu'à la fontaine. Il était 22 heures 30, l'air était encore chaud et la journée tirait à sa fin. À son retour, Anna se sentait apaisée. Si la température extérieure était agréable, il faisait encore 26° dans la chambre. La fenêtre étant entrouverte, elle sentait l'air frais et s'endormit facilement, en pensant à ses parents et à l'existence de ce monde qu'elle venait de découvrir.

3

Elle se réveilla avec les premiers rayons du soleil qui filtraient à travers les rideaux. Elle se sentait sereine. Howard monta sur le lit et lui fit un gros câlin. Elle aimait son chien, il était si affectueux. Ils restèrent ainsi un bon moment.

Le téléphone sonna. C'était Pierre, qui lui proposait de modifier la sortie prévue le week-end suivant : il suggérait de passer le matin à Banon et l'après-midi à Manosque pour visiter la maison du poète. Anna accepta.

Sa semaine fut rythmée par son travail et des soirées en solitaire avec son animal de compagnie, mais elle était plus joyeuse que d'habitude et cela se voyait.

Le vendredi, Pierre sortit son téléphone et composa le numéro d'Anna.

— Je voulais juste te rappeler notre sortie de demain et savoir si tu étais toujours d'accord.

— Mais certainement !

— Super ! Je passe te prendre vers 9 heures.

— Très bien, je serai prête.

Pierre avait décidé d'emmener Anna à Banon, où il avait découvert une magnifique librairie. Il était sûr qu'elle lui plairait. Anna adorait les livres, il avait hâte de voir sa réaction.

Le lendemain, ils partirent comme prévu. Pierre avait choisi de prendre l'autoroute jusqu'à Aix-en-Provence, puis de suivre la départementale jusqu'à Banon. Le trajet s'étant bien déroulé, ils arrivèrent suffisamment tôt pour avoir amplement le temps de découvrir ce lieu magique à ses yeux. Il gara la voiture dans une ruelle à proximité et entraîna Anna vers la placette où se trouvait la librairie. Tout à coup, elle s'arrêta et contempla cette façade aux couleurs ocre et bleues.

— C'est magnifique, ce sont les couleurs de la Provence, se dit-elle.

Ensuite, elle vit l'inscription : Librairie Le Bleuet.

— Pierre, tu m'emmènes dans une librairie ?

— Oui, mais ce n'est pas n'importe laquelle. Viens voir.

Ils poussèrent la porte et entrèrent. Un son unique retentit pour annoncer leur visite.

Anna fut très surprise en découvrant ce temple de la littérature. Pierre vit son regard émerveillé, ce qui ne fit qu'accroître sa joie.

— Pierre, comment as-tu découvert ce lieu ?

— Je suis venu acheter du fromage, le banon. C'est un fromage de chèvre serré dans des feuilles de châtaignier. J'en ai goûté chez un ami qui m'a recommandé de passer chez le producteur, localisé ici, à Banon. En me promenant dans le village, je suis tombé sur cette librairie et je souhaitais te la montrer.

— Tu as bien fait, je n'ai jamais vu de librairie aussi grande !

— Viens voir, il y a un espace dédié aux auteurs provençaux. Tu vas adorer !

Elle remarqua les étagères identifiées par le nom des poètes, Pagnol, Mistral, Giono, tout ce qu'elle aimait. Ses auteurs favoris étaient tous là. Elle fut émue de voir toutes ces œuvres et choisit un livre qu'elle n'avait pas, *L'Eau vive* de Jean Giono. Elle avait vu le film et avait beaucoup aimé l'histoire.

— Ce lieu te plaît-il ?

— C'est magnifique, merci de m'y avoir emmenée.

Anna continua de flâner dans les allées et de regarder toutes ces œuvres littéraires. Il y en avait énormément. Après avoir fait le tour de l'édifice, Pierre proposa d'aller déjeuner. Un petit restaurant ne se trouvait pas très loin, ce qui permettrait de s'y rendre rapidement à pied.

Après le repas, ils prirent un café. Pierre régla l'addition et ils regagnèrent la voiture. Pierre enregistra l'adresse de leur nouvelle destination sur son GPS et ils arrivèrent à 15 heures. Il décida de garer la voiture un peu en retrait et ils s'engagèrent dans l'impasse menant à la villa Lou Paraïs. Une hôtesse les accueillit à l'entrée du jardin, magnifiquement entretenu, composé d'une belle palmeraie, de lauriers-roses en fleur et de différents arbustes. Elle les dirigea vers la résidence aux volets verts et commença la visite des pièces principales en s'attardant sur la bibliothèque au ton bordeaux. Il y avait là beaucoup d'ouvrages. Sur son bureau se trouvaient sa dernière œuvre inachevée, ainsi que son stylo et sa pipe. Ensuite, la jeune personne les emmena dans un long couloir et commença à leur exposer sa biographie, leur parla de son parcours, de ses lieux de vie, de ses passions et de ses romans.

Ses livres étaient stockés sur des étagères en face d'une fenêtre, ce qui les mettait d'autant plus en valeur. Elle insista sur la première publication en 1929 de son roman *La Colline*, ainsi que sur ses débuts avec la publication de ses poèmes dans la revue marseillaise de l'époque. Elle cita les œuvres les plus

34

célèbres, dont *Regain* qui fut porté au cinéma par Marcel Pagnol.

Jean Giono aimait la nature, cela se ressentait dans tous ses écrits. Il aimait la Provence qu'il ne quitta jamais. Il mourut d'une crise cardiaque le 9 octobre 1970. Sa maison fut inscrite au patrimoine du XXe siècle par le ministère de la Culture et de la Communication et il fut également honoré en tant qu'homme de lettres. C'était un grand monsieur.

Cela faisait chaud au cœur de savoir qu'il avait créé toutes ses œuvres dans cette maison qu'il avait adorée.

La visite se termina et l'hôtesse raccompagna Anna et Pierre au portail en les remerciant d'être passés. Anna était ravie de tout ce qu'elle avait découvert ici. Cette visite lui avait réchauffé le cœur : désormais, elle connaissait le lieu où Jean Giono avait vécu. Tous ses sens étaient en pleine excitation. Elle était comme une enfant venant de découvrir un nouveau jouet. C'était comme si elle redécouvrait l'auteur. Le voyage du retour fut animé par tout ce qu'ils avaient pu apercevoir et ils reprirent quelques points de la synthèse réalisée par l'hôtesse. Anna avait oublié qu'il avait passé cinq années de sa vie à faire la guerre et qu'il avait perdu son père un an après son retour en 1920. Ce qui était surprenant, après analyse, c'était qu'il avait beaucoup écrit juste après ces évènements, comme pour les évacuer ou les chasser. Peut-être avait-il besoin de se libérer ?

Pierre demanda à Anna :

— As-tu aimé cette journée ?

— Comme d'habitude, tu as tout bien géré. Aujourd'hui, tu m'as fait découvrir tant de choses, j'en suis tout émerveillée. Encore merci pour cette journée.

Pierre déposa Anna au pied de son immeuble et rentra chez lui. Elle se mit à penser à lui, c'était vraiment un garçon remarquable. Elle aimait toutes les attentions qu'il avait à son égard et elle appréciait sa compagnie. Il était indulgent, compréhensif, à la fois humble et dévoué. Il possédait toutes les qualités qu'une femme espérait chez un homme, et en plus il était fidèle. Tout comme elle à ce jour, Pierre n'avait pas refait sa vie et, s'il avait eu des liaisons, il avait été très discret, car elle ne l'avait pas su. Elle ne l'avait jamais vu accompagné d'une autre femme.

Ce soir-là, Anna se coucha relativement tôt, de nombreuses choses se bousculaient dans sa tête. En plus, elle songeait qu'elle devait retourner dans la maison de ses parents. Elle décida d'y passer le week-end suivant. Depuis leur décès, elle y était très peu allée.

Anna prépara son sac durant la semaine, afin de partir dès le vendredi soir. Elle prit peu de vêtements, car elle savait qu'elle en avait sur place. En revanche, elle ajouta quelques effets de toilette, quelques médicaments, puis referma le sac, ainsi prêt le jour venu. Elle avait hâte que la semaine se termine. Tous ses souvenirs d'enfant étaient dans cette maison. Il était si douloureux pour elle que ses parents n'y soient plus, qu'elle avait fini par presque abandonner ce lieu cher à son enfance. Maintenant, elle se sentait plus forte. Elle était prête à faire le deuil qu'elle avait longtemps refoulé.

Le vendredi soir arriva. Elle alla chercher Howard et emporta son sac de voyage. Elle souhaitait arriver tôt à la résidence. Elle prit la route en direction du passage à niveau, le chemin qui mène à la colline se situant sur la gauche juste avant la voie ferrée.

Anna arriva à la propriété de ses parents sur la colline des Establettes à Carnoules. Elle lut *Villa de la Garrigue* sur la plaque apposée sur le mur gauche de la bâtisse. Son cœur se serra. Elle ouvrit les deux battants du portail en fer forgé, d'une couleur vert olive assortie à la teinte des volets et gara sa voiture dans l'allée. Elle jeta un coup d'œil rapide à l'ensemble : rien n'avait changé. Elle avait oublié comme cet endroit était beau et reposant. Ça sentait bon la garrigue.

Les fleurs du bougainvillier qui décoraient magnifiquement la façade de la maison semblaient l'accueillir, lui souhaiter la bienvenue. Les volets en bois que son père avait peints étaient toujours en bon état. Anna fit le tour du jardin avant d'entrer dans la maison. Pierre passait régulièrement pour entretenir le parc de la propriété. Anna lui avait remis un double des clés, peu de temps après le décès de ses parents, car elle n'avait pas le cœur de revoir ce lieu, qui lui rappelait tant de bonheur. Pierre s'était proposé de mettre la villa en ordre et elle avait accepté, car elle avait une grande confiance en lui.

La propriété s'étendait sur deux hectares de terrain, dont un était resté à l'état de garrigue. C'était l'endroit préféré de ses parents, surtout quand le mistral y transportait les embruns de la mer : on pouvait alors respirer une agréable odeur marine mélangée aux senteurs des pins, du thym, de la lavande et de bien d'autres plantes. Elle s'attarda sous le figuier, où il faisait plus frais, et en profita pour déguster quelques fruits bien mûrs, en se souvenant des confitures que faisait sa mère. Elle contempla la haie de lauriers-roses derrière la maison, puis se dirigea vers la porte d'entrée. Elle y introduisit la clé, déverrouilla la serrure, poussa la porte et entra.

Un long moment, elle fut confuse, envahie par ses souvenirs d'enfance qui revenaient pêle-mêle. Ils remontaient sans qu'elle ne puisse rien y faire. Elle vit un court instant ses parents se diriger vers elle, sans doute un rêve, se dit-elle. Elle se ressaisit, alla dans la cuisine se servir un verre d'eau et trouva un petit bol pour Howard, qu'elle remplit d'eau fraîche et déposa à côté de son panier. Elle entra ensuite dans chaque pièce tour à tour, en ouvrant chaque fenêtre pour aérer. Elle s'attarda dans sa chambre et changea les draps. Elle redécouvrait cet endroit. Il y avait en elle une paix intérieure et cela lui allait bien.

Il commençait à se faire tard. Anna se dirigea vers la cuisine pour se préparer un repas et donner des croquettes à son animal de compagnie. Elle fit cuire des pâtes qu'elle arrangea avec une sauce tomate et un peu de basilic, ensuite elle mangea un morceau de fromage avec quelques feuilles de salade, se prépara une infusion qu'elle alla boire sous le figuier en dégustant son dessert sur place, les figues étaient savoureuses. Howard vint la rejoindre et s'installa sur ses genoux. Le petit salon extérieur était resté en l'état. Son père avait taillé le figuier de façon à former une tonnelle, magnifique berceau de verdure qui apportait ombrage et fraîcheur lors des chaudes journées d'été. Le figuier avait été planté de telle manière que l'on puisse continuer à admirer le jardin, joliment arboré. Ses parents avaient mis en valeur ce petit coin de terre avec beaucoup de goût. On y retrouvait tout ce qui faisait le bonheur d'être en Provence. Ils avaient déniché de nombreuses espèces végétales, qui avaient fait de cet endroit un véritable petit paradis terrestre, comme l'appelait souvent son père. Elle se souvenait de ce qu'il disait quand ils allaient dans la garrigue, sur la partie dominante de la propriété.

— Regarde comme c'est beau, la nature est belle, il faut juste prendre le temps de la regarder, de la respirer, d'entendre les oiseaux chanter. Et, chaque saison, c'est différent. C'est un éternel renouveau pour ceux qui savent en profiter. C'est apaisant, on est bien ici, j'adore cet endroit.

Et Anna lui répondait :

— Oui, papa, on est bien ici.

Mais ce n'était que maintenant qu'elle regardait la nature différemment, avec les yeux de son père. Elle redécouvrait et admirait ce qu'il aimait tant, car effectivement la nature est belle quand on sait la regarder, la humer, l'écouter.

Il faisait chaud. Anna rentra dans la maison. Il était tard, elle prit Howard et se dirigea vers sa chambre. Durant la nuit, Anna fut agitée. Elle se revoyait avec ses parents, elle conversait avec eux, elle se sentait bien. Puis elle vit sa maman ramasser un médaillon sur le sol et le poser sur la table basse du salon. Son rêve s'estompa pour laisser place au sommeil. Anna ouvrit les yeux vers 8 heures 30, elle se sentait bien, suffisamment reposée. Le chien grimpa sur le lit et lui lécha les mains en guise de bonjour. Elle l'embrassa à son tour et joua avec lui, tout en le caressant. Après un petit moment, elle décida de se lever et d'aller préparer un copieux petit déjeuner, qu'elle irait prendre à l'extérieur sur la terrasse d'été qui était encore ombragée à cette heure. Son père avait fait faire cette grande terrasse par un artisan maçon de passage dans la région. Cette personne avait été de bon conseil : elle lui avait proposé de réaliser une toiture sur la moitié de la dalle, afin d'avoir une partie ensoleillée en hiver et une partie ombragée en été.

Sous le figuier, Howard se mit à aboyer. Anna le rejoignit et observa un jeune hérisson apeuré. Elle calma le chien et l'animal continua son chemin. Elle en profita pour cueillir une figue bien charnue, qu'elle croqua. En la dégustant, elle fit croustiller sous ses dents les petits grains blancs mêlés aux filaments de couleur violine. Le fruit était sucré et juteux, cela lui rappelait bien des souvenirs, notamment la cueillette que faisait sa mère, avant de réaliser ses confitures tant appréciées. Elle se souvenait de l'odeur des figues cuites qui se dégageait dans la cuisine, elle revoyait sa mère s'affairer autour de la marmite et de ses pots. Des petits bonheurs tout simples qui faisaient chaud au cœur. Anna se laissa bercer par les rayons du soleil qui filtraient à travers quelques feuilles. Allongée dans la chaise longue de son père, elle laissa le voyage opéré au travers de ses pensées. Un lézard lui chatouilla le pied, il y en avait beaucoup par cette chaleur. Anna se leva, prit le chien dans ses bras et se dirigea vers la garrigue avant qu'il ne fasse trop chaud pour s'y promener. Tout comme ses parents, elle aimait beaucoup cet endroit un peu sauvage. Peut-être verrait-elle une tortue en balade. Elle passa devant l'allée de lavande, contourna la haie de lauriers-roses qui cachait une partie du terrain laissé à l'état naturel, que ses parents avaient baptisé la garrigue. Elle marchait sur les pieds de thym, qui poussaient en abondance et qui parfumaient ses pas. Les arbousiers s'étaient propagés, ainsi que des arbrisseaux à fleurs dont elle ignorait le nom. Ça sentait bon, elle aimait cet instant présent, être là, sur cette étendue de terre qui offrait tant de jolies choses. Oui, vraiment, il suffisait de regarder pour savourer de bons moments. La végétation était belle sur cet espace…

Anna se sentait enfin apaisée de toutes ses colères. Elle avait l'intention de revenir à la villa dès le week-end suivant, ce qui allait également enchanter Howard qui pourrait ainsi gambader à souhait. Le soleil était très haut et la chaleur presque insupportable. Anna redescendit se mettre au frais dans la maison en fermant les volets des pièces principales, laissant juste quelques rais de lumière fuser au travers, perçant ainsi l'obscurité. En passant devant la table basse du salon, elle vit le médaillon de sa mère. Comme dans son rêve… Elle trouva surprenant de ne pas l'avoir remarqué à son arrivée. Elle prit le médaillon dans sa main, s'installa dans le fauteuil, le serra fort en pensant à sa maman, puis s'assoupit.

Pour Anna, le rêve faisait partie de l'âme de l'inconscience, qui se réveille lorsque le corps s'endort. Longtemps auparavant, elle avait lu un article sur le sujet, qui, à l'époque, l'avait passionnée. Pour elle, dans l'inépuisable richesse de l'âme, il y avait le rêve, et, impuissante, elle entama une conversation à l'intérieur de celui-ci.

— Anna, c'est bien d'être revenue à la maison. Cela faisait très longtemps que l'on ne t'avait pas vue ici. Nous sommes heureux que tu aies franchi le pas. C'est un bon début, mon ange.

— Maman, c'est toi ?

— Oui, Anna, c'est moi. Nous sommes là, avec papa. Nous t'attendions. Il ne faut pas abandonner cette villa, c'est pour toi que nous avons fait tout cela. Dis-moi que tu reviendras, mon ange.

— Oui, maman, je vais revenir, je suis bien ici.

— N'oublie pas, nous serons toujours près de toi.

Anna se mit à grelotter. Un froid glacial la réveilla. Elle s'enveloppa dans le plaid, mais sa conscience n'avait pas effacé la conversation qu'elle venait d'avoir. Elle avait l'impression d'avoir traversé une multitude d'évènements…

La voix de sa maman était si réelle, qu'elle chercha à donner du sens à tout cela. Depuis un certain temps, il lui semblait bénéficier d'une présence bienveillante autour d'elle, une sorte de sphère protectrice. Anna, pourtant cartésienne, voulait croire à cette présence et au bien-être qu'elle lui apportait. Le traumatisme dû au choc émotionnel violent qu'elle avait subi lors du décès de ses parents se dissipait. Peu à peu, il s'éloignait pour laisser place à des pensées positives. Progressivement, elle renouait avec la vie. Le tourment tournait sa page et les contours d'un nouveau destin se dessinaient. Aujourd'hui, Anna était enfin prête à regarder son existence, elle avait retrouvé sa vivacité et son dynamisme, elle se sentait utile, bien dans son corps et elle ne voulait plus se laisser tourmenter par des ondes négatives.

Elle voulait retrouver le bonheur, avoir envie de sourire naturellement au lieu de se forcer pour faire plaisir à ses amis. Il était bon, le goût de la vie, comme un fruit bien mûr que l'on a envie de croquer. Voilà ce qu'elle voulait maintenant : croquer la vie à pleines dents, profiter de son existence nouvelle.

Elle se leva du fauteuil. Elle avait faim, il était temps de préparer de quoi se restaurer. Un barbecue, voilà ce qu'elle décida de faire. Elle plaça une cuisse de poulet dans un plat en inox et se prépara deux brochettes de légumes. Elle les arrosa d'un bon filet d'huile d'olive, ajouta un peu de thym, du sel et du poivre. Son repas était prêt. Elle alluma le barbecue à gaz qui était resté sous la véranda d'été, le laissa chauffer et déposa son plat sous la cloche. Dans quarante minutes, elle pourrait se mettre à table. Y penser la faisait saliver. En attendant, Anna s'installa dans la chaise longue avec son animal de compagnie et profita de ce moment pour le câliner. Après une dizaine de minutes, elle alla jeter un coup d'œil à la cave à vin. Elle savait que ses parents achetaient régulièrement de très bonnes bouteilles, directement chez les producteurs, les cavistes, ainsi qu'à la cave des vignerons de Gonfaron, qu'ils allaient visiter lors de leurs sorties. Elle fut surprise par la quantité et la diversité du stock. Les flacons étaient rangés par région et les étagères bien étiquetées, l'inscription indiquant la date d'achat, la région, le temps de garde et la température de conservation. Le lieu était frais, il devait y faire environ 11°.

Un jour, lorsqu'Anna était encore adolescente, son père lui avait expliqué le travail que nécessitait la naissance d'une bonne bouteille de vin. Il disait que chaque vin avait sa propre histoire. Le chef de culture devait fournir une bonne qualité de raisin au maître de chai, qui, à son tour, prenait en charge la fabrication et cela en plusieurs étapes. Il fallait tout d'abord contrôler la fermentation chaque jour, c'était la transformation du sucre en alcool, en passant par la macération, plus ou moins longue, afin de trouver le bon tanin, la belle couleur. Ensuite venait ce que l'on appelait l'élevage qui se faisait soit en barrique soit en cuve. Encore une étape : c'était l'assemblage. Tout cela faisait que le vin était réussi ou pas. Son père disait aussi que les compétences françaises étaient largement reconnues. À l'étranger, on adore les vins produits en France et ici, en Provence, on produit de magnifiques vins rosés à servir frais en été. Elle se souvenait de ces paroles comme si c'était hier. La petite leçon sur les vins, elle l'avait bien mémorisée.

Anna ressortit avec un vin de chablis pour accompagner son repas. Elle avait toujours eu un faible pour les vins sucrés. Elle se dirigea vers la cuisine, ouvrit la bouteille et se servit dans un verre à vin à fond large, sans l'être trop, car le vin doit s'oxygéner à une juste mesure pour bien libérer ses arômes. Elle avait gardé cet enseignement aussi de son père, la dégustation d'une bonne bouteille était toujours un moment de pur bonheur. Son père avait des talents d'œnologue et il savait partager ses émotions gustatives. Son père était un grand passionné de la vigne.

En se souvenant d'un téléfilm qu'elle avait vu et apprécié, elle se fit œnologue : elle regarda la couleur du vin, analysa la robe aux reflets jaune clair et le fit tourner dans son verre pour observer sa densité. Elle mit ensuite son odorat à l'épreuve, en humant ce verre pour détecter quelques arômes : elle trouva des notes d'agrumes, de miel, et une touche légèrement fumée ; on sentait bien les fruits mûrs. Elle sollicita ensuite le goût, il était légèrement sucré, frais et très riche en arômes.

Son père faisait souvent cet exercice en famille lorsqu'il dégustait une bonne bouteille qui avait bien vieilli et il incitait toujours ses proches à reconnaître les saveurs. Anna aimait participer à ces petits jeux et cela avait développé son intérêt pour le vin. Anna fut satisfaite de sa dégustation qui l'avait obligée à retrouver les plaisirs d'autrefois. La compagnie de ses parents lui manquait tant ! Raviver ainsi les souvenirs lui permettait d'être avec eux et de penser à eux.

Elle se dirigea vers le jardin. Son repas était prêt, elle alla s'installer sous le figuier pour le déguster. En cette fin du mois de juillet, la journée était chaude et la fraîcheur de la végétation appréciable. Quand la chaleur devint insoutenable, Anna alla prendre son café au frais dans la maison et s'installa ensuite dans le sofa pour faire une sieste. Le chien s'installa près d'elle. Elle commençait à s'assoupir, quand tout à coup la sonnette du portillon retentit. Howard aboya. Anna alla regarder par la fenêtre du salon et vit Pierre qui attendait. Elle rejoignit le pas de la porte et lui fit signe d'entrer.

— Je passais par Carnoules et j'ai eu envie de te rendre visite. Sophie m'a dit que tu passais le week-end ici. J'ai été surpris. Pas trop dur pour toi après tout ce temps ?

— Non et je sens que cela me fait beaucoup de bien. Il m'a fallu faire des efforts pour franchir ce cap, mais maintenant que c'est fait, je suis convaincue que c'est une bonne chose. Je me suis réconciliée avec moi-même. À présent, je vais pouvoir avancer, me reconstruire, apprendre à vivre sans eux. Qu'as-tu envie de boire ? Eau pétillante, jus de fruits, panaché ?

— Plutôt un panaché, s'il te plaît.

Ils s'installèrent au frais dans le salon et discutèrent.

— Je suis allée à la cave tout à l'heure. Mon père a laissé un sacré stock de bonnes bouteilles. Je ne savais pas qu'il en avait une si grande quantité. Je comprends mieux pourquoi il y passait énormément de temps. Sa cave est une petite merveille. Je me souviens qu'une fois, j'y suis allée avec lui pour tourner les bouteilles de champagne, des millésimes qu'il souhaitait conserver encore un peu. Il avait une bonne connaissance dans ce domaine, qu'il avait acquise en partie dans ses livres. Les vignobles, c'était sa passion. As-tu déjà vu la bouteille de rosé de la Côte des Roses ? C'est un joli flacon, une rose est sculptée dans le fond de la bouteille et elle a un joli bouchon en verre : une présentation vraiment originale pour présenter un vin.

— Non, je n'en ai jamais vu.

— Je t'en montrerai, j'en ai acheté plusieurs, la bouteille est belle. Quand j'allais visiter les domaines avec mes parents pendant les vacances, nous assistions aux dégustations. J'ai aimé ces moments, j'ai vu des châteaux magnifiques, sans compter toutes ces belles bastides. Tu es venu avec nous quelquefois, tu t'en souviens ?

— Oui, bien sûr, c'était nouveau pour moi.

— Papa me disait souvent : « attrape le bonheur quand il passe, car, après, c'est trop tard, il est perdu, il s'envole on ne sait où »… J'aimais beaucoup cette phrase… Nous devions aller sur les chemins de Saint-Jacques de Compostelle dans le sud-ouest, il y a un merveilleux jardin viticole. Nous devions y aller tous les trois, mais mon père a trop attendu. Il pensait qu'il avait le temps, la vie en a décidé autrement. Papa voulait que l'on fasse une randonnée sur plusieurs jours, il avait commencé ses recherches pour avoir les coordonnées de plusieurs gîtes d'étape gérés par les municipalités. Pour lui, c'était plus sûr pour avoir un lieu où dormir. Il avait à cœur de visiter la cathédrale Saint-Jacques qui, paraît-il, est splendide. Elle possède trois nefs et plusieurs chapelles, c'est grandiose ! Papa voulait s'y recueillir et embellir sa foi. Il s'était confié à maman sur ce point et nous en avons parlé toutes les deux. Il voulait que nous arrivions à la cathédrale pour le 25 juillet, date importante pour lui car c'était la Saint-Jacques. Nous devions assister à la messe de midi organisée pour les pèlerins. Par contre, il ne souhaitait pas demander le certificat de pèlerinage, sa démarche était personnelle, en lien avec ses croyances, pour se mettre en paix.

Tu vois, Pierre, un jour, je le ferai ce pèlerinage, juste quelques étapes en hommage à mes parents. Et j'irai prier pour eux à la cathédrale de Saint-Jacques.

Quand j'avais dix-neuf ans, papa et moi, nous sommes allés pendant un week-end déguster un château Pétrus. Il avait un goût de myrtille et de mûre que l'on sentait au premier abord. Il avait une magnifique robe rubis. Un si bon vin ! Il visitait toujours de magnifiques lieux, nous goûtions des vins sublimes et il était toujours bien accueilli. Les vignerons devaient sentir sa passion pour eux. Il disait toujours : « les vignerons font du bon travail, pour le plus grand plaisir de notre palais. Bien choisir le vin magnifie le repas ». Mon petit papa, c'est dans le vin et toute sa splendeur qu'il a trouvé son bonheur. Je penserai à lui chaque fois que je goûterai un vin. Je regrette tellement de ne pas l'avoir plus accompagné. Je n'ai pas su partager sa passion. Maintenant, je ne peux avoir que des regrets. Et toutes ces choses que l'on ne dit pas par pudeur... On ne dit jamais assez aux personnes que l'on aime à quel point on tient à elles. C'est un tort. Mais parlons d'autre chose maintenant.

— Justement, la famille Bérard m'a appelé hier soir. Ils souhaitent louer la villa les trois premières semaines du mois de septembre, comme l'année dernière. Je dois leur répondre dans la semaine.

— Nous allons leur donner notre accord, mais c'est la dernière location que nous faisons. J'ai envie de revenir dans cette maison, je vais venir ranger certaines choses et faire un peu de tri. J'envisage de m'installer ici au printemps, l'année prochaine. Howard sera heureux de gambader dans le jardin. Je vais mettre mon appartement en location, cela m'aidera à payer les charges de la villa. La maison est si belle ! J'ai vraiment envie d'habiter dans la demeure de mes parents, cela va me rapprocher d'eux et, psychologiquement, je suis enfin prête. Avec l'argent qu'ils m'ont laissé et leurs deux assurances-vie, j'ai de quoi la faire entretenir pendant des années, si mon salaire ne suffit pas.

— C'est une très bonne décision, tu vas être bien ici. Je suis content que tu fasses ce choix. Où que soient tes parents, je suis certain qu'ils sont fiers de toi. Ils ont fait tellement de choses ici pour toi, pour que tu leur succèdes.

— Il commence à se faire tard, veux-tu manger avec moi ce soir ? Nous pouvons nous faire des grillades avec une salade. Et, en dessert, nous avons les figues. Tu peux t'en cueillir quelques-unes, si tu veux. Elles commencent à tomber, il faudra que je fasse un peu de confiture et peut-être une tarte à l'occasion.

— Va pour les grillades !

— En attendant que ce soit prêt, prenons un apéritif. J'ai ouvert une bouteille de chablis ce midi, cela te tente-t-il d'y goûter ? Il est excellent.

Après avoir servi le vin dans deux magnifiques verres en cristal, elle emmena Pierre dans le jardin et ils allèrent dans la garrigue.

La température avait baissé, mais l'atmosphère était encore chaude, sans doute 28°. La chaleur de la journée avait été caniculaire, elle était plus supportable, et sur les hauteurs on profitait d'une petite brise d'air frais.

— Pierre, j'ai une question à te poser. Connais-tu les caractéristiques des vins de chablis ?

— Non, tu me poses là une belle énigme !

— Alors je vais te raconter. Le chablis, tout d'abord, était le vin préféré de maman. Il a une garde qui peut aller de dix à quinze ans selon les crus. Il faut le servir frais, entre 12 et 14°. Il a beaucoup d'arômes, on sent les fruits bien mûrs... Papa a toujours préféré les vins produits sur les communes de Chablis et de Fyé, qui ont un parfait ensoleillement et un sol très calcaire sur lequel on retrouve des petits fossiles. Étonnant, non ? L'ensoleillement est très important pour ce type de vin : il lui procure sa belle robe or. Il faut le déguster après un vieillissement d'au moins huit ans. Voilà, le petit cours est terminé, tu connais maintenant mieux ce vin.

— Merci pour cet enseignement !

Anna s'émerveilla de voir une tortue grignoter une baie de mûre tombée au sol. Il était rare d'en voir à découvert. Pierre comprit pourquoi elle lui demandait toujours de faire très attention à laisser cette partie de terrain à l'état sauvage : pour ne pas blesser les tortues, bien sûr ! Il devait nettoyer avec prudence et uniquement les sentiers, afin que l'on puisse s'y promener.

Ils firent le tour du terrain en empruntant les petits chemins. Ici et là, on apercevait les maisonnettes que son père avait fabriquées et installées en fonction du soleil. Ainsi ces petits reptiles avaient un toit pour toute l'année, il suffisait de remettre un peu de foin sec pour l'hiver afin qu'ils puissent se cacher dedans. Ils longèrent les lavandes qui embaumaient un parfum très agréable.

— Cette promenade m'a ouvert l'appétit. On se fait le barbecue ?

— Je te laisse l'allumer, Pierre, je vais chercher la viande et les légumes.

— D'accord.

Pendant ce temps, Howard dormit sur la chaise longue, fatigué par sa balade dans la garrigue.

Après le dîner, Pierre embrassa tendrement Anna et rentra chez lui.

Après une bonne nuit de sommeil, Anna se réveilla, attacha ses cheveux avec la pince déposée sur le chevet et se dirigea vers la salle de bain.

Après son petit déjeuner, elle décida de consacrer la journée à rassembler les vêtements de sa maman. Cette étape était vraiment importante pour elle. Anna s'arma de courage et commença à vider la penderie, elle déposa sur le lit de ses parents toute la garde-robe de sa maman. Son carré de soie dans les mains, elle se laissa tomber sur le lit pour humer le parfum délicat encore présent sur l'étole. Anna ne devait pas se laisser emporter par la nostalgie et se remit à la tâche. Le lit étant très encombré, elle alla chercher des cartons dans le garage, y rangea les vêtements et les empila le long du mur à côté de la porte. Anna souhaitait faire en sorte que son tri soit terminé pour la location de septembre. Elle avait plusieurs week-ends disponibles devant elle, ce qui lui laissait largement le temps et, éventuellement, elle pouvait se faire aider par Pierre.

Les vêtements de sa maman étaient en parfait état, elle remarqua de jolies toilettes qu'elle ne portait jamais. Quel dommage ! Anna avait décidé d'en faire profiter une association venant en aide aux plus démunis, elle en connaissait une localisée à Brignoles. Ainsi, tous ces effets auraient une nouvelle vie, cela lui convenait fort bien, elle faisait une bonne action. Lors du tri, Anna mit certaines choses de côté, des souvenirs qu'elle ne voulait pas voir disparaître et elle garda le linge de lit, de toilette et les nappes, tout ce qui pouvait servir au fonctionnement de la villa.

Absorbée par sa tâche, Anna ne vit pas le temps passer. Quand la faim commença à la tirailler, elle s'aperçut qu'il était déjà 14 heures 30. Elle s'arrêta pour se préparer à manger.
— Un menu à partir des restes du réfrigérateur sera parfait, se dit-elle.
Après l'avoir servi sur le plateau, avec un café et un bon morceau de chocolat noir, elle alla dans le jardin profiter de ces derniers instants avant de repartir en soirée. Elle termina la journée sous le figuier, allongée, prenant un bain de soleil très confortable avec Howard à ses côtés.
— Enfin un peu de repos, se dit-elle.
Sa montre afficha 17 heures 30. Déjà nostalgique, elle décréta qu'il était temps de fermer la villa et de rentrer à l'appartement. Le week-end tirait à sa fin et une nouvelle semaine allait bientôt commencer sous le signe du travail.
Anna se réjouissait de retrouver son amie Sophie et de lui raconter comment s'était déroulé son congé de fin de semaine, elle avait besoin de se confier et Sophie savait l'écouter en la conseillant. Après avoir fermé tous les volets, elle déposa son sac devant la porte et se dirigea avec son petit chien vers la garrigue.
— Allez, Howard, un dernier petit tour et on y va.
Elle respira à pleins poumons toutes les bonnes odeurs, le thym, la lavande et eut une pensée pour ses parents qui adoraient ces parfums que nous offre la nature. Ensuite, elle alla chercher ses affaires et rejoignit sa voiture, car il fallait faire le chemin du retour.

Sur la route, Anna pensait. Elle avait déjà hâte d'être au week-end suivant. Avoir vidé les penderies lui permettrait de laisser ses effets personnels sur place, car désormais elle comptait passer beaucoup de temps dans la maison qu'elle avait héritée de ses parents. Oui, elle désirait plus que tout habiter dans la maison de son enfance. Anna se sentait guidée par une petite voix intérieure, qu'elle définissait comme un guide spirituel, qui l'aidait à adoucir sa douleur en lui offrant de l'apaisement. Cette transformation intérieure était tout ce dont elle avait besoin. La douleur et la tristesse avaient quitté son corps pour laisser place au bien-être, elle se sentait bien, la vie reprenait sa place. L'étape de deuil s'éloignait et la sérénité s'installait enfin : elle pouvait maintenant penser à ses parents sans pleurer et elle avait envie d'avoir des projets d'avenir. Après deux années de tristesse, Anna renouait avec l'envie de vivre, elle savourait ce répit, mais sans oublier de penser à ses parents à qui elle parlait régulièrement en regardant la photo déposée sur son chevet. C'était une bonne thérapie pour elle, elle avait besoin de communiquer avec eux, de rester proche de leur âme spirituelle. Après tout ce qu'elle avait vécu, elle ne pouvait plus nier qu'elle s'était attachée à cette présence de l'au-delà.

Dans la villa, elle se sentait très proche d'eux, elle ressentait leur présence, cela ne s'expliquait pas, mais elle avait besoin d'y croire. Sa déprime s'était envolée, elle sortait enfin la tête de l'eau. Elle savait que, de l'au-delà, ses parents l'avaient aidée à retrouver son énergie, ils avaient chassé ses angoisses et ses craintes. Sans eux, elle n'aurait jamais réussi à accepter cette perte si douloureuse. Elle avait eu besoin de cet accompagnement et, aujourd'hui, elle voulait garder ce lien, car penser qu'ils étaient présents était tout simplement merveilleux.

De retour à son appartement, Anna ouvrit toutes les fenêtres, car il faisait chaud. Elle s'allongea sur le lit et se replongea dans ses pensées.

4

Le lendemain, elle retrouva Sophie au travail.

Elles étaient très professionnelles et consciencieuses, malgré le fait qu'elles travaillaient dans le même bureau. Elles ne discutaient de leur vie privée qu'à l'extérieur, loin de toute écoute indiscrète, souvent lors du déjeuner ou sur une terrasse, le soir, en sirotant une eau pétillante et fraîche.

— Sophie, ça te dit d'aller courir sur le canal demain soir ?

— Oh oui, parfait ! Disons 18 heures en bas de chez moi.

Anna rentra chez elle pour récupérer Howard et aller le promener. Le chien était très heureux de retrouver sa maîtresse, il sautillait dans tous les sens. Pas pratique pour enfiler le harnais ! La soirée passa vite et Anna se réjouit de retrouver son lit, après cette journée de travail.

Sophie lui proposa d'aller passer un week-end en Normandie chez sa sœur Lucy, qui possédait un pavillon à la campagne.

— Changer d'air te ferait beaucoup de bien et, tu verras, la Normandie est jolie, c'est très verdoyant.

— Quand est prévu ce week-end ?

— Ce serait le deuxième de septembre. On pourrait partir le vendredi, il y a un TGV à 14 heures. On laisserait la voiture au parking souterrain de la gare de Toulon et ma sœur viendrait nous chercher à 21 heures à la gare d'Évreux.

— J'accepte avec plaisir. Cela me permettra de revoir Lucy. J'aime beaucoup ta sœur et, tu as raison, le changement me fera beaucoup de bien. Changer d'atmosphère régénère !

La semaine terminée, Anna fut très contente de préparer son sac pour se rendre à la villa et continuer le tri des affaires de ses parents. Pierre devait la rejoindre le dimanche pour l'aider à évacuer tout ce qui serait prêt.

Cette deuxième quinzaine du mois d'août était encore chaude pour la saison. En arrivant, Anna arrosa les parterres de fleurs : la terre commençait à se craqueler. À quand datait la dernière pluie ? Anna ne se souvenait plus, mais cela remontait à loin. Elle prit Howard dans ses bras pour aller se promener dans le jardin. Elle aimait se trouver là et admirer la vue qu'offraient les hauteurs de la colline. Regarder ce panorama était un pur bonheur, le paysage était si beau avec toutes ses couleurs ! Anna cueillit quelques brins de thym, qu'elle déposa dans le petit panier en osier dans la cuisine.

Le lendemain, elle continua à trier les affaires de sa mère. La mélancolie s'empara d'elle à nouveau, mais elle sut persévérer et ne se laissa pas aller.

En fin de journée, elle contempla le travail réalisé. Les sacs et les cartons devenaient envahissants, elle avait dû en mettre dans la salle à manger pour dégager la chambre à coucher. Heureusement que Pierre devait passer le lendemain pour l'aider à tout débarrasser. Ce ne serait pas une mince affaire, il faudrait s'armer de courage. Pierre était si gentil avec elle, si prévenant, et il avait tant de délicatesse pour elle. Anna l'aimait beaucoup, elle était très attachée à lui.

Elle regarda sa montre, il était déjà 19 heures. Elle décida de suspendre son labeur jusqu'au lendemain, la journée avait été bien remplie. Elle avait bien mérité un peu de repos. Aussi alla-t-elle s'installer confortablement dans la méridienne au salon. Le chien sauta tout de suite sur ses genoux, elle le bichonna, elle aimait tellement son petit chien.

Le mistral soufflait de plus en plus, on sentait la fraîcheur qu'il apportait. Une bourrasque fit claquer la porte-fenêtre et Anna sursauta. Elle alla fermer toutes les ouvertures, car le mistral promettait une nuit plus fraîche, toujours bon à prendre sur les mois d'été.

Ce soir-là, Anna se coucha tôt, elle était éreintée d'avoir porté tous ces cartons et ces sacs. Elle s'endormit rapidement et se leva de bonne heure le dimanche matin. Elle commença sa journée par une douche. Elle ferma les yeux, en décontractant ses muscles endoloris, tandis que l'eau chaude ruisselait le long de son corps svelte. Elle s'attarda sous la douche. Puis elle choisit une tenue décontractée afin d'être à l'aise pour aider Pierre de son mieux. Il devait arriver vers 10 heures, ce qui lui laissait le temps de terminer certaines choses.

Le mistral s'était apaisé durant la nuit.

Après avoir chargé les deux voitures, Anna et Pierre prirent la direction de Brignoles pour se rendre à l'association. La responsable du centre les remercia chaleureusement pour leur don et les aida à transporter les habits dans l'annexe.

Pierre proposa à Anna de faire un léger détour par Hyères, afin d'y déjeuner sur le port. Ils avaient juste le temps de s'y rendre. Pierre pensait que cette sortie imprévue ferait du bien à Anna. Elle avait passé les deux derniers week-ends à vider les placards, une tâche très éprouvante entre ses souvenirs et la nostalgie. Le changement de paysage lui ferait oublier ces instants.

Anna remercia Pierre pour cette merveilleuse idée.

Attablés à la terrasse d'un petit restaurant, ils dégustèrent des coquillages accompagnés d'un verre de vin blanc, tout en regardant les vacanciers du mois d'août se promener sur le port. Des enfants chahutaient en savourant leur glace, il faisait beau et tous ces estivants étaient radieux. Tous deux prirent des profiteroles au chocolat en dessert, accompagnées d'un café. Ces instants s'écoulèrent à une vitesse inouïe. Après une balade sur le port autour des bateaux de plaisance – il y en avait de très beaux –, le moment de rentrer arriva. Pierre raccompagna Anna à la villa en passant par Puget Ville. La vue sur les vignes était magnifique, les feuilles commençaient à prendre des nuances légèrement roux doré avec un peu de pourpre, ce qui mettait de la couleur dans ce joli décor.

Pierre demanda :

— Anna, te souviens-tu que la famille Bérard arrive dans deux semaines ?

— Oui, je n'ai pas oublié. Je vais préparer leur venue la semaine prochaine. Tout sera impeccable, ne t'inquiète pas. En revanche, j'aimerais que tu sois avec moi pour les accueillir. Comme tu les connais, je serai plus à l'aise pour les recevoir.

— Pas de soucis, je serai là. Ils doivent arriver en fin d'après-midi, en fonction des aléas qu'ils auront sur leur trajet.

Anna prépara ses bagages pour son week-end en Normandie. La perspective de revoir Lucy la réjouissait. La dernière fois qu'elles s'étaient vues, c'était chez Sophie. Son amie avait organisé une petite fête pour son anniversaire et Lucy s'y était rendue avec son mari et son fils.

Cela remontait à trois bonnes années déjà.

Lucy était une personne réservée, très cultivée. Elle parlait peu, mais avec beaucoup d'aisance. Anna se souvenait que Lucy était très élégante à cette soirée. Elle ressemblait beaucoup à Sophie. Se rendre à son domicile lui permettrait de la découvrir davantage.

Le jour venu, Sophie passa prendre Anna et Howard. Son mari ne souhaitait pas l'accompagner, il trouvait la Normandie trop pluvieuse à son goût. Il préférait aller avec les enfants chez sa mère à Carqueiranne. Il pourrait ainsi emmener les petits à la plage. Sa mère était remplie de joie à l'idée de revoir son fils et ses petits-enfants. Cela faisait un petit moment qu'elle ne les avait pas vus. Elle avait l'intention de les occuper avec un atelier pâtisserie le samedi matin. Ils pourraient faire des crêpes et un moelleux au chocolat. Clément ne devait repartir que le lundi après-midi pour son travail en équipe de nuit, à l'hôpital, et les bambins allaient rester pour une semaine de vacances, ce qui rendait les grands-parents très heureux.

Il y avait peu de circulation. Les deux jeunes femmes arrivèrent à la gare de Toulon avec un bon quart d'heure d'avance. Sophie dirigea la voiture vers le parking souterrain, elle y serait en toute sécurité avec les caméras de surveillance. Mieux valait être prudent.

Elles s'installèrent confortablement dans le TGV. Sophie déposa sur la table une bouteille d'eau et deux gobelets. Le voyage se passa bien, les deux jeunes femmes enchaînèrent les conversations durant tout le trajet.

Lucy était de treize ans l'aînée de Sophie et toutes les deux étaient nées un 13. Assez extraordinaire !

Elle et son mari tenaient une agence immobilière dans le centre-ville d'Évreux. Ils avaient deux employés. Leur fils Romain était à l'université de Rouen, il vivait sur place dans un studio et venait voir ses parents tous les quinze jours.

Lucy et Vincent formaient un joli couple. On sentait l'amour dont témoignaient leurs gestes et leurs regards. Ils donnaient l'impression d'être très fusionnels. Il émanait de leur union une réelle complicité.

Leur maison se situait dans un petit hameau à sept kilomètres de la gare d'Évreux.

Ce fut Lucy qui alla chercher les deux jeunes femmes. Il faisait encore jour. Lucy attendait ses invitées devant la gare, vêtue d'un tailleur jupe noir, une étole crème sur les épaules. Elle était chaussée d'escarpins et avait un maquillage léger. Les retrouvailles entre les deux jeunes femmes, enlacées l'une contre l'autre, furent intenses. Ce moment parut durer une éternité. Puis elles s'embrassèrent et prirent rapidement des nouvelles, avant de déposer les bagages dans le coffre de la voiture. Sophie monta à l'avant du véhicule, Anna se plaça à l'arrière. Durant le trajet, les conversations allèrent bon train entre elles. Anna regardait le paysage.

Lorsque l'on arrivait chez Lucy, on était totalement surpris de découvrir au premier abord, après avoir traversé un sous-bois, un jardin de style provençal comprenant de nombreux palmiers, du romarin, des lavandes et des aloès, ainsi que tout un panel de fleurs. Ce parc était tout simplement magnifique. On n'avait qu'une envie, s'y attarder. Le regard semblait magnétisé par cette vue, qui apportait une sensation sereine.

Anna était de plus en plus en confiance avec elle-même et se sentait entourée d'énergies bienveillantes. Ces personnes aimaient la Provence, cela lui plut beaucoup.

Lucy fit découvrir les lieux à Anna, l'installa dans une des chambres d'amis de l'étage et lui montra la salle de bain attenante. Anna en profita pour lui remettre la boîte de calissons qu'elle avait apportée à l'intention de ses hôtes. La maison était grande et spacieuse. Le séjour-salon était dominé par un plafond cathédrale. Un bureau était installé sur la mezzanine et un petit couloir permettait d'accéder aux chambres et à la salle de bain réservée aux amis.

Les propriétaires des lieux avaient leur chambre et leur pièce d'eau au rez-de-chaussée. Le salon s'ouvrait sur une magnifique véranda agencée de baies vitrées, qui permettaient de profiter de la vue sur le jardin. La demeure était somptueuse. Le mobilier avait été choisi avec beaucoup de goût, il était harmonieux d'une pièce à l'autre. Il y avait un très bon équilibre dans les teintes choisies pour parer les murs. L'ensemble en était encore embelli.

— Sûrement le travail d'un architecte d'intérieur, pensa Anna.

Le dîner fut servi dans la salle à manger. Les deux sœurs étaient si heureuses de se retrouver, elles avaient tant de choses à se raconter ! Elles prévoyaient déjà de se revoir avec leur famille pour les vacances d'été de l'année suivante, en Vendée, chez leurs parents. Elles s'échangèrent quelques photos, pleurèrent de bonheur, rirent également beaucoup. Elles étaient si radieuses de se retrouver qu'elles ne virent pas le temps passer et, à 1 h 30 du matin, la séparation fut difficile. Mais il fallait bien se dire bonsoir et aller dormir un peu, en sachant que la nuit serait courte.

Sophie et Lucy étaient très unies. Elles partageaient une relation exceptionnelle comme beaucoup de personnes aimeraient en vivre. Aussi loin qu'elles pouvaient remonter, elles ne se souvenaient d'aucune rivalité entre elles. Leurs attaches avaient toujours été pleines de tendresse. Lucy s'était octroyé un rôle protecteur envers sa cadette et toutes deux avaient toujours navigué sur la même longueur d'onde, en veillant à tisser un lien très fort et très serein entre elles, malgré les kilomètres qui les séparaient. Les deux frangines aimaient leurs racines, le clan familial avait toujours été important pour elles. Elles possédaient une reconnaissance mutuelle et faisaient en sorte que personne ne puisse mettre le moindre grain de sable dans leur rouage qui fonctionnait à la perfection. Chaque fois qu'elles se voyaient, tout cet amour ressurgissait.

Le samedi après-midi, Sophie proposa à Anna d'aller visiter la fabrique de chocolats Michel Cluizel, installée près de Damville. La découverte de l'atelier de production fut intéressante. L'hôtesse présenta une synthèse de l'ensemble des étapes réalisées dans les salles de fabrication. Puis elle conduisit le groupe vers le magasin installé au sous-sol. Anna et Sophie en profitèrent pour faire des achats, car les prix étaient compétitifs et avantageux. Ensuite, Anna émit le souhait de visiter la cathédrale Notre-Dame d'Évreux, car elle avait lu un article dans un magazine consacré à l'art gothique et avait été subjuguée par la beauté du reportage, qui mettait en valeur la magnifique galerie de vitraux de la chapelle Saint-Louis. Elle avait découvert, dans ce documentaire, que la cathédrale possédait plusieurs chapelles, dont certaines étaient fermées par des clôtures de bois sculpté qui représentaient des animaux. Les arcades étaient de style roman. La nef était superbe avec ses nombreux piliers qui s'alignaient de part et d'autre du long couloir de chaises qui menait à elle. L'ensemble de la visite était simplement splendide de beauté.

Puis les deux jeunes femmes se rendirent au musée, en passant par le cloître qui le jouxte et donne directement sur son entrée. Sophie s'y était déjà rendue plusieurs fois, elle aimait ce lieu chargé à la fois d'art, d'histoire et d'archéologie.

Elles commencèrent la visite par le sous-sol, où se trouvaient des objets gallo-romains, elles continuèrent aux étages où elles contemplèrent des bronzes, de nombreux objets d'art décoratif, des peintures, une très belle galerie de photos. Ce monument historique était riche de collections pouvant satisfaire les goûts les plus variés de chacun. Sophie engagea la conversation avec Anna.

— Qu'as-tu pensé de cette balade ?

— L'après-midi a été plutôt speed ! Mais je suis ravie de toutes ces richesses que j'ai pu voir. Ça m'a beaucoup plu. Merci à toi de m'avoir servi de guide.

— Cela m'a fait énormément plaisir de te faire découvrir tout cela et de passer du temps avec toi.

Le temps devint incertain, la pluie se fit sentir. Les brises de vent firent chuter la température. Heureusement, Sophie et Anna avaient laissé dans la voiture de quoi se vêtir chaudement : en Normandie, c'est préférable.

Sur le chemin du retour, Sophie fit découvrir la campagne à Anna. Elles passèrent dans plusieurs hameaux, dans lesquels des fermes étaient équipées de grosses machines pour travailler la terre et faire les récoltes. Elles s'arrêtèrent dans l'une d'entre elles pour y faire des achats : un peu de charcuterie, un rôti de veau et quelques légumes de saison. Dans les hameaux, des maisons avaient une toiture en chaume et des façades à colombages. Leur charme était très différent de celui des villas de Provence.

Puis elles s'arrêtèrent près d'un pâturage, où paissait un troupeau de vaches, ce qui émerveilla son amie. Anna était charmée par ces champs si verdoyants, ces vaches qui pâturaient dans l'herbe fraîche. Ce changement de décor était vraiment dépaysant. Elle appréciait beaucoup ce week-end en Normandie.

Après cette distraction, les deux jeunes femmes décidèrent qu'il était temps de rentrer chez Lucy et Vincent. Elles passèrent devant la boulangerie et s'y arrêtèrent pour acheter le dessert du dîner.

Anna ressentait un intérêt particulier pour cette région qu'elle découvrait pour la première fois. Certes, il fallait s'acclimater, s'habituer aux différentes températures de la journée, mais ce climat avait aussi des côtés positifs : tempéré, il évitait les excès, on n'avait pas trop chaud par exemple, c'était bien appréciable. Et s'il fallait porter une petite laine à certains moments, cela ne la gênait nullement.

Pendant que les hommes discutaient au salon, dans la véranda, les femmes s'affairaient en cuisine pour préparer le repas tout en discutant entre elles.

Lucy donna des nouvelles de Romain, qui devait passer le lendemain pour déjeuner avec eux. Elle était fière des résultats scolaires de son fils. Il avait tous les atouts pour suivre la filière qu'il avait choisie, elle était convaincue qu'il ferait un très bon ingénieur. Sophie évoqua à son tour sa famille. Son mari était resté en Provence avec les enfants, la Normandie n'était pas son climat préféré, surtout en cette saison ! Il passait donc le week-end chez sa mère à Carqueiranne et il devait emmener leurs bambins à la plage. Elle ouvrit la galerie photo de son portable pour montrer quelques clichés. Lucy ne voyait pas souvent sa nièce et son neveu, elle trouva beaucoup de changements en eux, ils avaient grandi. Elles se promirent à nouveau d'être tous ensemble l'été suivant et de bien en profiter.

Le repas fut servi à 21 heures, puis la soirée se termina au salon devant un film.

Les deux sœurs avaient organisé une surprise pour Anna. Travailler dans l'immobilier avait ses atouts. Vincent connaissait bien le gardien de ce qui fut la résidence secondaire de Marcel Pagnol, « *le Moulin* », située à la Croix-Saint-Leufroy dans l'Eure, entre Gaillon et Évreux. Cette propriété se trouvait à la sortie du village et bordait la route communale. Elle n'était qu'à une heure de Paris, où le couple Pagnol avait sa résidence principale. Ils pouvaient s'y rendre souvent pour des séjours plus ou moins longs. Lors du tournage du film *Le Rosier de Madame Husson* à Conches-en-Ouche et au Neubourg, Marcel Pagnol et son épouse Jacqueline avaient eu l'occasion de se promener et de découvrir la région, cette « belle Normandie » comme il la nommait. Ils aimèrent tout de suite ce département et eurent envie d'une maison de campagne pour s'y reposer. Lorsqu'ils visitèrent le moulin proche du cours d'eau, ils souhaitèrent l'acquérir. Ils étaient tombés amoureux de cet endroit.

C'est dans cette bâtisse que l'auteur écrivit de nombreux succès : *Jean de Florette*, *Manon des Sources*… De son bureau, il avait une vue imprenable sur les champs, la rivière et la forêt, autant de sources d'inspiration. Tous deux passèrent avec leurs enfants des moments merveilleux dans cette maison jusqu'en 1974, année du décès de l'écrivain. En choisissant ce village, le couple était proche des plages de la Manche pour les sorties avec leurs enfants.

Anna passa une excellente nuit. Le dimanche matin, son amie commença à la taquiner dès le petit déjeuner en lui soumettant des énigmes concernant la promenade de l'après-midi. Sophie était rayonnante à l'idée de surprendre Anna. Elle savait à quel point son amie serait contente de découvrir la maison de son poète préféré. Anna possédait une magnifique collection de santons, de jolies figurines de terre du petit monde de Marcel Pagnol. Parmi celles-ci, on reconnaissait la célèbre partie de cartes tirée du film *Marius*. Elle avait placé l'ensemble dans une vitrine de son séjour pour bien les mettre en valeur et les protéger de la poussière. Elle aimait les contempler de temps en temps.

Mais, pour le moment, elle disposait de trop peu d'éléments pour voir où Sophie comptait l'emmener. La connaissant bien, elle savait que ce serait quelque chose d'exceptionnel. Elle lui faisait confiance.

Lucy et Vincent firent appel à un traiteur pour le déjeuner, pour laisser du temps libre à chacun. Il y avait du soleil et Anna sortit pour s'installer dans un fauteuil, sur la terrasse, et regarder ce magnifique jardin. Howard ne laissa pas sa maîtresse seule : il gambadait à souhait par allées et venues.

Lucy et Sophie faisaient toujours la causette. Elles profitaient au maximum de leurs retrouvailles, le temps passait si vite !

Clément proposa un café à 10 h 30 dans la véranda. Il fut le bienvenu. Les baies vitrées étaient ouvertes, il faisait bon. Lors de la conversation, Clément évoqua les prix des biens immobiliers dans la région. Anna les trouva très attractifs comparés à ceux du Var, où il est très difficile de devenir propriétaire d'un petit appartement bien situé, tellement les coûts sont élevés. Il lui dit :

— Pour nous, la villa dans le sud, ce n'est pas pour demain ! Quel dommage !

Après quelques discussions, Anna retourna sur la terrasse. Elle s'y sentait bien, mais devint soudain nostalgique en pensant à Carnoules, son si joli petit bourg situé sur les pentes d'une colline, comme beaucoup de villages. Sa belle Provence lui manquait. Elle revit des clichés, comme la locomotive à vapeur qui trône à l'entrée du village, en exposition pour rappeler que Carnoules fut un dépôt ferroviaire. Les trains s'y arrêtaient pour changer de micheline et la commune était fière de partager ses souvenirs avec ses estivants.

Il y avait aussi le petit train touristique appelé « le Picasso » qui conduisait ses passagers jusqu'à Brignoles en serpentant à travers les collines pour leur faire découvrir toutes les facettes du paysage provençal. On pouvait ainsi admirer les champs d'oliviers, les vignobles à perte de vue et les chênes-lièges dont l'écorce, extraite tous les sept ans, sert à confectionner tant d'objets artisanaux, comme la traditionnelle corbeille de fruits que l'on retrouve dans toutes les cuisines de la région. De temps à autre, Anna prenait ce petit train pour se rendre chez son amie Sophie à Brignoles, ce qui lui permettait de profiter en toute sécurité de ce joli décor. Quand Anna était à la villa, aux Establettes, elle entendait son klaxon retentir deux fois par jour. Aujourd'hui, il semblait lui manquer. En Normandie, les bruits de fond étaient très différents. Le murmure des fontaines à l'ombre des platanes n'en faisait pas partie. Pas plus que le cri strident des cigales qui bercent les Provençaux toute la journée. Il lui manquait aussi le parfum des embruns, mêlé à ceux de la garrigue transportés par le mistral. Et, ici, il n'y avait pas de maisonnettes à admirer au loin dans les collines, pas de villages perchés que l'on distingue en regardant l'horizon. Et les champs de vigne, où étaient-ils ? La Normandie était belle, certes, les chants d'oiseaux y étaient nombreux, mais cela ne pourrait jamais remplacer sa terre natale, car, comme les poètes qu'elle vénérait tant, Anna préférait sa Provence, et elle se réjouissait de son retour prévu le lendemain matin.

L'avertisseur sonore du traiteur la sortit de sa rêverie. Elle alla rejoindre Sophie pour les préparatifs du déjeuner.

À 14 h 15, Vincent sortit la voiture du garage. Tous ensemble, ils allaient offrir à Anna un moment de joie intense. Elle ignorait leur destination, le secret avait été bien gardé et elle s'impatientait d'en savoir plus. Ils passèrent par plusieurs lieux-dits pour enfin arriver à la Croix Saint-Leufroy. Sophie avait hâte de voir comment sa meilleure amie allait réagir. Après avoir garé le véhicule en bordure de la route communale, le long d'une prairie, Vincent pria ses hôtes de bien vouloir le suivre et les dirigea vers le portail d'une bâtisse qui se dressait en pleine campagne. Sur l'un de ses murs, Anna vit une plaque commémorative, sur laquelle elle lut ces quelques mots : « Cet ancien moulin fut, de 1956 à 1974, la résidence secondaire de Marcel Pagnol, écrivain, cinéaste et académicien ». Sa voix dérailla. Elle était très émue et avait les yeux larmoyants.

Sophie lui dit :

— Voilà la surprise que nous t'avons concoctée, tous ensemble. Elle te plaît ?

Anna, émotive, laissa échapper quelques larmes de joie en guise de réponse et planta un petit baiser sur la joue de son amie.

Le gardien arriva et les fit entrer pour une visite guidée. Lucy lui remit un petit paquet afin de le remercier de sa gentillesse. La maison était un ancien moulin. Le jardin était orné de quelques arbustes à fleurs, des sapins, un eucalyptus et, ici et là, des cyprès.

La façade était de couleur claire et tranchait avec les briques qui agrémentaient chaque ouverture. La maison était simple, très épurée, mais confortable.

Le gardien leur fit part de quelques éléments concernant la vie du poète, tout en organisant la visite. Cet homme était charmant, il était à la retraite et devait avoir environ 65 ans. Il portait une tenue décontractée avec des tennis en cuir. Sa casquette cachait une légère calvitie, ses yeux étaient d'un bleu intense et il avait le visage buriné. Il avait dû être un très bel homme dans le passé et avait gardé sa ligne élancée.

Un bureau était installé près d'une fenêtre. Il permettait d'avoir une vue très vaste sur les prairies avoisinantes et le cours d'eau. Les porte-plume, ainsi que des piles de documents et des livres, étaient restés sur ce lieu de travail. Une chambre à coucher était attenante. Le guide leur fit savoir que Marcel Pagnol écrivait beaucoup très tôt le matin, car c'était à ce moment de la journée qu'il avait le plus d'inspiration. L'après-midi, il recevait de nombreux amis. C'était un homme très généreux et d'une grande bonté. Ses amis occupaient une place primordiale dans son existence et il s'inspirait beaucoup de leurs traits de caractère pour décrire ses personnages. C'était plus fort que lui, il ne pouvait s'empêcher de toujours analyser les individus. Ce grand romancier entretenait également de bonnes relations avec des personnalités telles que le scénariste et réalisateur Jean Renoir (fils du peintre Auguste Renoir) ou le prince de Monaco, et, bien sûr, avec tous ses proches du cinéma : Raimu, Fernandel et les autres. Marcel aimait plus que tout recevoir et être entouré. À cet effet, il organisait régulièrement des soirées dans sa résidence secondaire. Il vivait ici en toute discrétion, à l'abri des regards, et il était au calme pour travailler sur ses œuvres. Il aimait cette nature qui lui manquait tant à Paris. Son épouse, Jacqueline, continua à fréquenter le moulin jusqu'à sa mort en 2016.

En traversant le salon, les visiteurs aperçurent une grande cheminée avec une bibliothèque bien garnie. Puis, malheureusement, la visite se termina. Anna s'était imprégnée du lieu où avait vécu l'un de ses poètes préférés. Elle avait toujours admiré sa poésie et elle possédait une grande partie de ses œuvres littéraires et de sa filmographie. Elle avait même réussi à se procurer un recueil de poèmes qu'il avait écrit dans sa jeunesse. Elle était très satisfaite d'avoir vu les coulisses d'un homme qui chérissait sa terre natale autant qu'elle-même. Il était une référence pour tous les Provençaux et cela, quel que soit leur âge. On éprouvait pour Marcel Pagnol une adoration sans aucune contestation. Ce laps de temps passé dans sa demeure fut une odyssée si profonde pour Anna, qu'il lui fut bien difficile de remercier son amie à la hauteur de ce cadeau, mais la sincère amitié qui les unissait comblerait largement ce manque. Pour marquer sa reconnaissance, Anna, encore stupéfaite, embrassa toutes les personnes qui avaient participé à cette magnifique surprise.

Pour clore la journée, Lucy proposa de passer, sur le chemin du retour, devant la maison de Simone Signoret et d'Yves Montant, située à Autheuil-Authouillet. Tous acceptèrent avec plaisir ce petit détour. Lucy expliqua qu'elle avait visité cette maison dans un cadre professionnel, alors que le marché immobilier a rarement accès à de telles ventes, et que chacune des pièces de cette demeure possédait de très grands volumes, ce qui est rare. La demeure toute blanche était entourée d'un grand parc et d'une piscine : un beau cadre pour travailler en toute sérénité. Un agréable sous-bois permettait de faire la cueillette des champignons à l'automne. Une clôture avec un brise-vue en toile plastifiée verte permettait aux propriétaires d'y vivre à l'abri des regards indiscrets. L'habitation comportait plusieurs niveaux visibles de l'extérieur. Vincent passa doucement devant la propriété pour qu'Anna et Sophie puissent regarder ce qui était accessible à l'œil, ce qui leur laisserait des souvenirs de leur séjour en Normandie.

Le lendemain matin, Anna prit sa trousse de maquillage et déposa un peu de fard rosé sur ses paupières, du mascara noir sur ses longs cils et termina par un peu de terre de soleil sur ses pommettes et une pointe de gloss nacré sur ses lèvres. Elle enfila son tailleur en crêpe gris perle, un tee-shirt rose poudré et se chaussa de mocassins blancs. Elle laissa ses cheveux ondulés danser sur ses reins. Anna était très jolie et elle savait se mettre en valeur. Sa garde-robe à la fois citadine et habillée en témoignait. Elle déposa son bagage dans le hall de l'entrée et, pivotant sur elle-même, se dirigea vers la cuisine pour un dernier petit déjeuner avec ses hôtes. Un peu mélancolique,

Sophie buvait une tasse de café. Elle avait choisi une tenue simple pour le trajet du retour : elle portait un jean de marque avec un pull-over et des tennis.

Vincent sortit la voiture pour y mettre les valises. L'heure des au revoir poignants était arrivée. Anna remercia chaleureusement les propriétaires des lieux pour ce magnifique week-end accompagné de délicates attentions. La nostalgie commençait à l'envahir. Vincent, une épaule appuyée contre le chambranle de la porte, regardait les deux sœurs s'embrasser. Elles étaient très émues de devoir se quitter, elles se voyaient si peu. Vincent devait conduire Sophie et Anna à la gare, car Lucy avait un rendez-vous qu'elle ne pouvait pas manquer.

Dans le wagon, il y avait peu de personnes. Anna laissa échapper ses impressions sur la famille de Sophie, qu'elle trouvait tout à fait charmante et chaleureuse.

— Ta sœur me plaît beaucoup. Elle a de très belles qualités. Elle et Vincent sont en parfaite harmonie. Il semble être le mari idéal que chaque femme peut rêver de rencontrer un jour.

— Je ne les vois pas souvent, mais je suis tout à fait d'accord avec toi, c'est un couple en parfaite symbiose.

Sophie sortit son tarot de Marseille de son sac. Le jeu comportait vingt-deux lames. Elle aimait se tirer les cartes et avait un talent inouï pour les interpréter, son instinct et son intuition l'y aidaient beaucoup. Elle disait souvent :

— Le tarot, c'est le miroir de la vie. Et j'aime donner du sens au futur, avant de le subir. Tout le monde ne peut pas interpréter l'image des cartes. C'est un art divinatoire que l'on exerce de la main gauche, car elle est plus intuitive. Ce paramètre est très important, il ne faut pas l'ignorer.

Sophie interrogeait ses lames sur quatre thèmes principalement : la santé, l'amour, le travail et l'argent. Elle connaissait parfaitement la signification de chaque carte, elle pratiquait le tirage en croix, uniquement avec ses vingt-deux cartes aussi appelées « arcanes majeurs ». Sa pratique régulière lui avait permis d'évoluer et d'affiner ses perceptions. Avant de commencer son jeu, Sophie avait besoin de se connecter avec « son monde de lumières », comme elle l'appelait. Elle se concentrait pendant environ cinq minutes, afin de se mettre en condition. Elle savait que les évènements heureux ou dérangeants que l'on rencontrait étaient souvent liés à nos choix de vie. Il fallait donc beaucoup de subtilité lors de l'analyse individuelle, car l'approche pouvait être différente selon les personnes. Sophie était imprégnée par le pouvoir de ses cartes. Cela lui permettait d'appréhender plus aisément un langage qui lui était propre et de mettre un pied de l'autre côté du miroir. La couleur des lames jouait un rôle majeur également, qu'il fallait interpréter en utilisant le contexte. Ces exercices étaient un jeu d'enfant pour elle. Sophie passa un certain temps à formuler des questions bien précises et à analyser la réponse que lui donnait son jeu.

Pendant ce temps, Anna regardait par la fenêtre du wagon. Au loin, elle commençait à apercevoir les collines. Son cœur se serra, elle serait bientôt de retour sur son sol natal. Le ciel bleu azur lui avait manqué durant son séjour dans l'Eure. Le train arriva en gare de Toulon et les deux jeunes femmes rejoignirent la voiture garée dans le parking souterrain.

Sophie déposa Anna à son appartement, à Carnoules, et rentra directement chez elle pour passer un peu de temps avec son mari, avant qu'il ne prenne son service de nuit.

5

Durant les six derniers mois, Anna s'était passionnée pour les pierres et avait acheté des ouvrages pour se documenter sur leurs bienfaits naturels. Elle était allée dans un magasin spécialisé à Hyères. Elle s'était acheté une géode (gros morceau de pierre brute fait de groupes de cristaux qui ont poussé dans une cavité rocheuse) pour calmer ses angoisses et mieux dormir. Elle l'avait posée sur le chevet dans sa chambre. Elle avait également opté pour une lampe à sel de l'Himalaya, pour purifier l'air de ses trois pièces, car elle habitait en ville et, les fenêtres restant constamment ouvertes pendant les mois d'été, l'atmosphère avait vraiment besoin d'être assainie pour améliorer la qualité de l'air et mieux respirer. Elle l'avait mise au salon, sur le grand meuble où était placé le téléviseur.

Anna avait été attirée par une magnifique fontaine en améthyste brute et en cristal de roche. Elle était composée d'une pierre centrale en améthyste, dans laquelle avait été insérée une petite lampe. Sa lumière et le murmure de l'eau qui s'écoulait apportaient bien-être et apaisement. Anna l'avait donc achetée. Son rendu au salon sur le petit meuble Louis-Philippe était parfait. La fontaine était face au canapé, ce qui permettait de la regarder souvent et de ressentir ses bienfaits.

De temps à autre, Anna retournait dans cette boutique pour compléter sa panoplie, car elle était désormais convaincue que la lithothérapie avait des vertus thérapeutiques non négligeables. Anna avait acquis une parfaite maîtrise des pierres et portait tour à tour celles dont son corps avait le plus besoin. Elle continuait cependant à se documenter, car elle pensait que cette médecine douce lui permettrait de rééquilibrer son corps sans le polluer. Mais, pour optimiser la guérison, il fallait avoir une croyance totale dans le pouvoir des minéraux. Anna avait fini par comprendre que ces petits bouts de roche détenaient une énergie différente selon leur matière et leur couleur. Il fallait donc bien les harmoniser, car tous ne se mélangeaient pas. Anna avait lu dans une revue spécialisée que, dans les rêves, la pierre représentait toujours une qualité d'âme, que ce soit la compassion, le courage ou l'honnêteté, des liens très complexes que ces petits cailloux nous aidaient à entretenir. Ils nous permettaient également de mieux appréhender les difficultés que la vie semait sur notre route. Pour trouver l'apaisement et se sentir dynamisé, croire en leur pouvoir bénéfique était un atout majeur. Quand Anna avait choisi son bracelet en pierre du soleil, c'était pour l'aider à gérer ses émotions négatives après le décès de ses parents. Ce joli bijou était une aide précieuse pour traverser les moments de tristesse et retrouver de l'optimisme. Elle avait pu se rendre compte par elle-même que sa sensibilité s'était modulée. Elle était donc certaine de la réalité des pouvoirs des minéraux. Il était intéressant de savoir que les pierres absorbaient les mauvaises ondes, d'où la nécessité de les nettoyer régulièrement afin de les dépolluer pour qu'elles puissent rester vivantes en énergie. Anna les entretenait avec beaucoup de soin. Pour les ressourcer, elle les plaçait à la lumière du soleil ou de la lune, en fonction de la matière. Pour elle, ils étaient de véritables trésors, des alliés pour sa santé. Elle leur vouait un intérêt profond et continuait à se tenir informée sur leurs secrets et leurs éventuels pouvoirs, tout en continuant à bien les utiliser.

Les températures avaient été contrastées sur l'ensemble de la semaine. Ce jour-là, en cette fin du mois de septembre, la journée était chaude. Les oiseaux s'étaient assoupis sous l'effet de la chaleur ou cherchaient de la fraîcheur à l'abri des buissons.

Anna ouvrit le réfrigérateur, sortit deux œufs qu'elle cassa d'une main preste dans un bol. Elle les battit, posa sur la plaque une poêle avec un peu d'huile à chauffer et y versa les œufs. Elle accompagna son omelette d'une salade verte et d'un morceau de fromage. Après le repas, elle retourna dans la cuisine nettoyer les vestiges du dîner. Elle termina la soirée au salon à feuilleter des magazines. Soudainement, elle se mit à penser à Pierre : quels étaient ses sentiments à son égard ? S'agissait-il seulement d'amitié ? Elle ne savait que répondre.

Avec l'aide de Pierre, Sophie organisa une soirée pour fêter l'anniversaire d'Anna. Ils choisirent le dernier samedi de septembre pour le célébrer dans sa maison à Brignoles.

Après avoir conduit ses enfants au centre équestre de Cuers, Sophie s'attarda à la *Jardinerie aux mille fleurs* et remarqua une orchidée blanche à trois branches dans un très joli cache-pot. Les tiges étaient bien fleuries et portaient encore de nombreux boutons. Elle décida de l'offrir à son amie et l'acheta. Pierre et elle avaient convenu de faire un cadeau commun. Ils avaient opté pour un porte-chéquier en cuir, car le sien était bien usagé. Il incombait à Pierre de faire les boutiques pour dénicher le fameux présent.

La famille Bérard quitta la villa. Pierre se chargea de l'état des lieux et de relever les compteurs pour le règlement des charges. Anna allait pouvoir retrouver la maison de ses parents pour les prochains week-ends d'automne. La villa possédait un coffre – une grande maie en bois rustique de couleur chêne clair – que son père avait fixé au mur du couloir, afin qu'il ne bouge pas. On y accédait par la penderie de la chambre parentale, par une trappe fermée à clé. Cette ouverture était cachée par des étagères amovibles, sur lesquelles trônaient des piles de plaids et des couettes. Cette idée était très astucieuse pour cacher certains objets lors des départs en vacances. Pierre était le seul à connaître l'accès à ce coffre, Anna le lui avait montré lorsqu'il avait pris en charge les locations, afin de mettre hors de portée certains papiers et objets de valeur.

Anna avait pris son après-midi. Elle avait hâte de retrouver la villa et de vérifier que tout allait bien. À son arrivée, elle jeta un coup d'œil rapide aux parterres de fleurs et sortit le tuyau d'arrosage pour leur apporter un peu de fraîcheur. Ensuite, elle alla s'asseoir sur la terrasse et profita de ce moment pour admirer le paysage avec beaucoup d'intérêt. Une immense joie l'envahit : ici, maintenant, elle se sentait si proche de ses parents. La maison était devenue son havre de paix, niché sur la colline. Elle semblait vouloir laisser vibrer les âmes en paix, bercées par les parfums sauvages de la garrigue et la brume de la mer. La silhouette torturée du vieil olivier marquait le panorama et créait une atmosphère particulière. Cette maison possédait un charme qui rendait Anna heureuse.

L'écrin de verdure de la Normandie était maintenant loin derrière elle.

L'automne commençait à se faire sentir. Les terrasses des cafés étaient désertées, quand le mistral se levait. Les hommes allaient siroter tranquillement leur pastis à l'intérieur du bistrot. Quelques bavardages avaient encore lieu sur les placettes autour des ruelles étroites, mais les femmes portaient des étoles sur leurs épaules pour les protéger de la fraîcheur.

Les tracteurs de vigne effectuaient leurs va-et-vient avec leurs remorques remplies de belles grappes de raisin violacées : les vendanges avaient débuté.

Certains vignobles utilisaient la machine à vendanger, ce qui leur permettait de travailler de nuit, à la fraîche. L'engin enjambait les pieds de vigne, les secouait pour en faire tomber les grains, puis les ramassait automatiquement et les stockait, et tout cela en une seule opération extrêmement rapide. Ainsi, à bonne maturité des grappes, le vigneron agissait vite. Certaines appellations n'avaient pas le droit d'utiliser ce processus et se devaient de réaliser les vendanges manuellement, afin de respecter leurs contraintes législatives. Cette exigence concernait notamment les vins de champagne et les liquoreux, dont le raisin doit être trié afin de diminuer la pourriture et de choisir des grappes bien mûres avec de jolies baies sans éclats, à même d'apporter une parfaite qualité au vin. Ce travail était fastidieux et long. Les vendangeurs devaient avoir une bonne forme physique, car ils travaillaient courbés toute la journée et portaient de lourdes charges. De ce fait, les vendanges manuelles se raréfiaient. Elles prenaient beaucoup de temps et étaient plus onéreuses. Malgré tout, ce type de vendange restait un atout de qualité pour les grands millésimes et donnait une image de perfection aux grands crus.

Anna se préparait pour se rendre à la soirée organisée par Sophie. Elle choisit une robe de cocktail rose poudré et un boléro à manches longues assorti, se coiffa d'une tresse sur le côté et pinça un petit nœud noir à l'extrémité. Elle enfila une paire d'escarpins blancs, prit son sac à main et sa grande écharpe de laine pour lutter contre la fraîcheur du soir. Avant de partir, elle veilla à ce que Howard ait de l'eau fraîche dans son écuelle. Ensuite, elle prit les clés de sa voiture et quitta l'appartement.

La circulation pour se rendre à Brignoles était fluide, elle arriva donc rapidement au hameau du Camp de la Source, le lieu-dit où habitait son amie. Sophie et sa famille résidaient dans la maison de ses parents. Le hameau était situé à deux kilomètres de Brignoles, ce qui était pratique pour leur travail, surtout pour Clément qui avait un rythme particulier à l'hôpital.

Les parents de Sophie avaient choisi d'aller s'installer en Vendée dans leur résidence secondaire, juste après l'accident cardiaque du père qui, désormais, ne supportait plus les températures excessives.

Anna avait acheté un bouquet de fleurs et les offrit à son amie.

— Veux-tu quelque chose à boire ? demanda Sophie.

— Non, mais je peux t'aider en cuisine.

— Il reste juste les petits toasts à tartiner.

Pierre arriva avec le gâteau. Sophie prit discrètement le petit sac qu'il tenait dans sa main et le déposa rapidement dans l'armoire de sa chambre.

Les enfants étaient contents de voir Anna et Pierre. Ugo était fier de montrer sa dernière acquisition : une tablette pour regarder les dessins animés. Et Alice apporta deux DVD que sa mamie lui avait offerts.

Clément proposa à ses convives de prendre l'apéritif au salon. Ugo se plaça près de son papa et Alice s'installa près d'Anna. Sophie arriva avec les verres, qu'elle posa sur la table basse. Clément servit un pastis aux hommes et un vin blanc liquoreux aux femmes. Un plateau trônait sur la table avec plein de douceurs et Sophie invita ses hôtes à se servir.

Anna confirma à ses amis qu'elle irait s'installer définitivement dans la villa le printemps suivant et qu'elle profiterait de l'hiver pour commencer à faire du tri dans son appartement.

— Tu y seras bien avec Howard, acquiesça Pierre. Si tu as besoin d'un coup de main pour ranger le mobilier de jardin, je peux venir t'aider.

— Que vas-tu faire de l'appartement ? demanda Sophie.

— Je ne sais pas encore si je dois le vendre où le mettre en location. Qu'en pensez-vous ?

Clément lui proposa de se renseigner dans une agence immobilière : leur expertise lui serait utile, ils seraient de bon conseil. Sophie trouva la suggestion judicieuse.

— Demain, c'est la fête de la châtaigne, à Flassan. Et si nous nous y retrouvions tous ensemble ? proposa Anna.

Ses amis acceptèrent sa proposition et décidèrent de se retrouver à 14 h 30 à Flassan, sur la placette, près de la fontaine.

Sophie et Anna revinrent de la cuisine avec les plats dans les mains.

— Et si on mangeait ? s'exclama Sophie.

Ils s'installèrent autour de la table du séjour, pour déguster un délicieux repas dans la bonne humeur. Clément apporta le dessert, pendant que Sophie allait discrètement chercher les cadeaux destinés à son amie. Pierre éteignit la lumière à l'arrivée du gâteau pour mettre les bougies à leur avantage et, tous ensemble, ils souhaitèrent à Anna un joyeux anniversaire. Elle souffla les bougies, très émue de voir que ses amis avaient une fois de plus pensé à elle. Et elle eut une pensée pour ses parents, elle sentait qu'ils étaient présents, à leur manière, et qu'ils partageaient sa joie. Elle accrocha un sourire à ses lèvres et trinqua avant d'ouvrir ses cadeaux. Anna était heureuse de partager ce moment avec eux, elle les aimait beaucoup.

Anna fut de retour à la villa à 1 h 30 du matin. Elle déposa l'orchidée dans la cuisine, but un verre d'eau et se dirigea vers la salle de bain. Elle se déshabilla et enfila son pyjama short. Quelques instants après, elle était dans son lit pour une bonne nuit de sommeil.

Le lendemain, elle se rendit à la villa et entreprit de préparer les abris des tortues pour l'hiver. Il fallait les remplir de foin pour protéger ces petites bêtes du froid rigoureux et du mistral, car vers la mi-octobre, elles allaient sans doute commencer à hiberner et il était préférable de ne plus les déranger lorsqu'elles dormaient. Pendant son labeur, elle remarqua une grosse tortue qui profitait des rayons du soleil pour se réchauffer. Ces reptiles ont le sang-froid, d'où leur besoin impératif d'exposition prolongée au soleil.

Durant l'après-midi, Anna alla cueillir des baies d'arbousier. Elles étaient bien rouges et commençaient à tomber. Elle fut satisfaite d'en remplir tout un panier. Le soleil se faisait de moins en moins haut. À partir de 17 h, il était caché derrière la cime des pins, ce qui apportait de l'ombrage et de la fraîcheur sur la partie la plus haute de la garrigue.

6

Les propriétaires d'oliveraies que l'on pouvait rencontrer sur les marchés dominicaux n'étaient pas mécontents des récoltes à venir. Les oliviers avaient été épargnés par la mouche de l'olive. Les olivades n'allaient plus tarder pour les olives vertes et promettaient une bonne année pour l'huile. Les ouvriers préparaient le matériel, notamment les râteaux surmontés d'un manche extensible permettant d'atteindre les parties les plus hautes de l'olivier. Certains étaient équipés de peignes vibreurs pour faciliter la tâche. Les filets et les bâches étaient contrôlés et nettoyés si besoin. Les cagettes en plastique assurant le stockage passaient au nettoyage, puis étaient correctement séchées, afin que les fruits ne pourrissent pas au contact de l'humidité durant leur temps d'immobilisation. Tous les éléments étaient prêts, il ne restait plus qu'à attendre une belle journée ensoleillée pour commencer la cueillette. Aucune humidité n'était tolérée durant les olivades, afin de préserver les olives.

L'olivier est un très bel arbre qui inspire la paix et la sagesse. On aime méditer sous son ombre, car on ressent le bien-être qu'il procure.

L'olive ne se consomme pas sans préparation : elle est très amère. Il faut être patient et s'armer de courage avant de la déguster. Avant de commencer à y goûter, on ôte son amertume en la conservant environ deux mois dans une saumure. On peut aussi choisir de les conserver dans l'huile, méthode plus rapide, car il ne faut que trois semaines d'attente avant que le fruit soit attendri et mangeable.

En général, la cueillette des olives vertes se réalise sur tout le mois d'octobre. Pour les noires, il faut attendre que les fruits atteignent leur maturité, qui survient pendant les mois de novembre et de décembre. Les fruits cueillis pendant cette période sont réservés aux préparations de type tapenade. Quant aux olives destinées à la fabrication de l'huile, il faut attendre les premières gelées, de décembre à fin février. Le gel diminue l'amertume de l'olive et la rend plus riche en huile.

Le ramassage des olives noires est beaucoup plus rapide que celui des vertes. On installe des bâches ou des filets au sol, sous les arbres, puis on secoue les oliviers ou on les gaule. Les fruits étant bien mûrs, ils se retrouvent très vite au sol. Ensuite, on les rassemble dans des cagettes aérées spécifiques à leur stockage, avant de les transporter au moulin. Un olivier produit à la fois des olives vertes que l'on cueille avant la maturité et des olives noires, fruits qu'on laisse sur l'arbre pour qu'ils mûrissent et prennent une couleur violacée, avant de devenir tout noirs.

L'huile d'olive est un bon nutriment, largement utilisé en Provence. Elle est également très riche en acides gras organiques, en calcium, et contient beaucoup de vitamines.

Une consommation régulière évite à l'organisme de produire du mauvais cholestérol.

En cosmétologie, on la trouve dans les formules de base des produits de beauté : elle y est largement utilisée en tant qu'excipient.

L'huile d'olive est vendue sous plusieurs formes d'extraction lors de l'étape où les olives sont pressées. On peut obtenir une huile pure, vierge ou extra. Sa première pression à froid se fait à -27°, elle permet d'obtenir la meilleure huile qui soit.

En Provence, l'huile est aussi utilisée pour calmer les premiers coups de soleil et hydrater les cuticules autour des ongles.

Ce jour-là, le ciel était bleu azur et le soleil dominait, mais le mistral s'était levé et s'enroulait autour de la fontaine de la place, en faisant virevolter les dernières feuilles qui jonchaient le sol, puis se faufilait dans les petites ruelles pour tourbillonner autour des maisons et des immeubles. Il faisait chuter les températures, il s'engouffrait dans les vêtements et rendait la marche bien difficile. En hiver, le mistral n'était pas le bienvenu, les grosses bourrasques renversaient tout sur leur passage, il fallait être prévoyant.

Pierre travaillait dans une agence bancaire de Cuers depuis plusieurs années. Dernièrement, l'établissement avait mis en place une loterie de fin d'année avec le budget prévu pour un séminaire qui n'avait pas eu lieu. Le directeur souhaitait innover et faire participer le plus grand nombre possible de salariés. Le budget du séminaire prenait en charge les lots offerts et la recette de la vente des billets permettrait d'offrir à tous les employés une sortie au restaurant. Le directeur de la succursale trouvait judicieuse cette idée formulée par son épouse et il l'avait retenue. Pierre avait acheté deux carnets complets.

Anna se rendit au cabinet médical de son gynécologue, pour son contrôle annuel. En arrivant, elle constata que le médecin avait du retard dans ses consultations : deux personnes attendaient déjà. L'une d'elles était enceinte et accompagnée par une personne plus âgée, sans doute sa mère. Celle-ci lisait une revue appelée « le Félibrige, la langue occitane ». Cela rappela des souvenirs à Anna : son père avait été abonné à ce mensuel, lorsqu'il faisait partie du club Frédéric Mistral installé au centre-ville d'Hyères. On y enseignait les dialectes du Félibrige, la langue occitane.

Au milieu du XIXe siècle, lors de ses études, Frédéric Mistral s'intéressa beaucoup à l'histoire de la Provence. Il se mit en tête de raviver le sentiment de race et d'émouvoir cette renaissance par la restauration de la langue naturelle et historique de sa région. Il créa un dictionnaire provençal/français appelé « Lou trésor dou félibrige », dans lequel on retrouvait tous les dialectes de la langue occitane moderne, qui possédait une richesse orale due à l'accentuation très prononcée des mots. Tel un troubadour, cet écrivain publia des textes de chansons dans ce patois. Pourtant, il reçut le prix Nobel de la littérature en reconnaissance de l'originalité de ses poésies qui reflétaient la nature et la vie en Provence.

On parle peu de ce grand poète, alors qu'il a laissé de nombreuses œuvres comme « le Poème du Rhône » ou « les Îles d'or », pour les plus connus.

L'association Le Félibrige a été créée en mai 1854. Il en fut le principal fondateur. Elle existait toujours et restait très culturelle. Des clubs s'étaient créés dans toute l'Occitanie afin de garder le souvenir de ce bel héritage.

Pierre était au travail, quand la secrétaire le pria de rejoindre immédiatement monsieur le directeur dans son bureau. Surpris, il y alla rapidement.

Il ouvrit la porte et se dirigea vers son supérieur.

— Monsieur, vous souhaitiez me voir ?

— Oui, Pierre. Asseyez-vous, je vous prie. Vous avez participé à la loterie…

— Oui, effectivement, Monsieur.

— Je suis ravi de vous annoncer que vous avez gagné le premier prix : un séjour au Maroc d'une semaine pour deux personnes en pension complète. Il est à effectuer entre les 1er janvier et 30 avril prochains. J'y suis allé avec mon épouse il y a quatre ans. Vous verrez, c'est un très beau pays. Il ne me reste plus qu'à vous féliciter, Pierre. J'espère que votre séjour sera agréable.

Pierre était très surpris : ce lot était totalement inattendu. En achetant ses carnets de loterie, il pensait gagner une petite babiole, certainement pas empocher le plus gros lot, le voyage. Il n'était jamais allé au Maroc. La perspective de découvrir ce pays avec ses souks, ses beaux riads, ses médinas et leur dédale de ruelles plus ou moins étroites l'enchantait.

Le soir venu, il appela Anna pour partager la merveilleuse nouvelle et lui demander si elle souhaitait l'accompagner. Le titre de voyage comportait deux places et il serait bien dommage de ne pas en profiter. Anna hésita un instant.

— Tu es sûr de ne pas vouloir inviter ton frère ?

— Oui, je veux faire ce voyage avec toi, si tu veux bien te joindre à moi. Le dépaysement nous fera du bien à tous les deux.

— Dans ce cas, j'accepte. Cela me touche beaucoup.

Pierre se sentit heureux de cette réponse. Il voulait tellement qu'Anna retrouve le bonheur.

Après cet échange, Anna songea à Pierre : quelle gentillesse de lui proposer de l'accompagner au Maroc ! Il n'était pas obligé et, pourtant, il avait pensé à elle. Elle avait beaucoup de chance de l'avoir à ses côtés. Pour ne rien gâcher, il était beau garçon, brun au teint mat avec les yeux bleus. Sa mâchoire puissante lui donnait beaucoup de charisme. Il était incontestablement séduisant. Pourquoi n'avait-il pas retrouvé une compagne depuis leur séparation ? Anna essayait de trouver une réponse.

En ce samedi de novembre, elle décida de s'habiller chaudement et d'aller faire une promenade dans la forêt des Mayon avec Howard. Il y avait du soleil et le ciel était légèrement nuageux, avec des températures satisfaisantes pour une balade. Par cette fraîcheur, les lézards avaient fui les restanques pour s'abriter sous les grosses pierres et passer ainsi l'hiver, protégés des intempéries et du froid. Anna gara sa voiture sous l'eucalyptus du parking de la forêt. Il n'y avait pas de camping-cars, elle était seule avec des cavaliers qu'elle remarqua au loin sur le sentier. Elle prit son chien et remonta un chemin caillouteux pour se rendre sur une étendue très vaste striée de nombreux petits chemins. Elle passa devant une cabane en pierre qui se fondait dans le décor. Un genévrier se maintenait contre le mur, tandis que des cistes et des bruyères tapissaient la porte en bois. Elle en déduisit que ce cabanon était peu visité.

Elle suivit un sentier qui la mena devant un rideau de branchages épais qui abritait une faune très variée et un nombre considérable d'espèces végétales. Elle dévia et se dirigea vers un layon longeant les pins d'Alep et les arbousiers. Le soleil parvenait difficilement à se glisser entre la cime des arbres, ce qui créait une atmosphère particulière à ce sous-bois.

Howard trottinait à côté de sa maîtresse en reniflant tout ce qui se trouvait sur son passage. Cette forêt était un vrai labyrinthe de sentiers et il était préférable de bien connaître l'endroit avant de s'y aventurer. Avec l'automne, le lieu avait retrouvé son calme. Il n'y avait plus de vacanciers en balade. Les chants des cigales s'étaient tus, car elles étaient toutes mortes à la fin de l'été. On pouvait juste espérer apercevoir une chrysalide, bien accrochée sur un arbuste, que le mistral n'avait pas emportée. Les feuilles des arbousiers s'étaient parées de jolies couleurs dorées et orangées. Les quelques bourrasques les faisaient tournoyer et tomber sur le sol.

Howard gambada beaucoup. Puis Anna le prit dans ses bras et rejoignit sa voiture. Tous les deux s'étaient bien oxygénés pendant cette sortie. Sur la route du retour, Anna s'arrêta à la boulangerie du centre-ville de Carnoules. Elle passa devant la fontaine et remarqua que son bruit harmonieux s'était tu pour l'hiver. Les dernières feuilles tourbillonnaient autour du gros platane de la Place de la bibliothèque et laissaient penser que l'hiver approchait. L'affluence était moindre au café du village, les hommes préféraient rester bien au chaud chez eux pendant cette période de l'année.

Dans la file d'attente, Anna eut pendant un moment le souvenir vague et lointain, mais très enchanteur de ses dernières journées ensoleillées passées à la villa, bercée par le chant des cigales qui stridulaient dès les premiers rayons du soleil, ainsi que celui de l'odeur du thym sous chacun de ses pas. Elle aspirait à ce que le printemps revienne vite. Des oiseaux migrateurs survolèrent le bourg lorsqu'elle sortit du magasin. À ce moment très précis, elle eut une pensée bienveillante pour ses parents. « Soyez heureux dans votre monde », pensa-t-elle. Et un frisson lui parcourut tout le corps, comme chaque fois qu'elle les évoquait.

De retour dans son appartement, Anna se prépara un chocolat chaud et mangea une tranche de brioche. Ensuite, elle s'allongea sur le canapé avec son animal de compagnie pour faire une sieste.

À son réveil, elle appela son amie Sophie.

— Ça te dit de courir sur le canal, demain après-midi ?

— Si tu veux. Clément ne travaille pas, il pourra garder les enfants.

— Très bien, on se retrouve à 14 h 30 en bas de chez moi.

Anna se fit couler un bain, pour passer un moment à se relaxer. Elle mit dans une coupelle dix gouttes d'huile essentielle de lavande vraie avec huit gouttes d'orange douce, auxquelles elle ajouta de l'huile neutre pour mélanger l'ensemble. Puis elle versa le contenu dans la baignoire, aida le mélange à se diluer en faisant couler de l'eau tiède dessus avec le pommeau de la douche. Une bonne odeur se dégageait déjà dans l'ensemble de la pièce. Anna alluma les bougies parfumées qui étaient disposées tout autour. Cela créa immédiatement une ambiance sereine, propice à l'apaisement.

Les huiles essentielles ont des vertus reconnues pour apaiser l'esprit, réduire le stress et détendre les muscles endoloris, procurant un bienfait idéal pour l'ensemble du corps. Il ne manquait plus que de la musique pour parfaire ce moment de détente. Anna alla chercher le lecteur de CD et choisit un disque de sons naturels, de bruits d'eau et de chants d'oiseaux sur un fond de musique très douce. L'atmosphère de la pièce était parfaite. Enfin, elle laissa tomber son peignoir à ses pieds et se glissa dans l'eau. Au bout d'un moment, elle sentit son corps chasser toutes les tensions qu'elle avait accumulées et elle apprécia ce moment de calme et de repos.

Lorsqu'elle sortit du bain, elle enfila son pyjama de cotonnade rose à rayures blanches et releva ses cheveux en un chignon original d'où quelques mèches bouclées s'échappaient pour glisser le long de sa nuque et retomber sur ses épaules. Puis elle se rendit dans la cuisine pour se servir un verre d'eau. Le four attira son attention : le cadran digital clignotait sans raison apparente. Mais, pour Anna, cela avait du sens depuis qu'elle avait lu les ouvrages de Patricia Darré : cela pouvait signifier la présence d'une entité et elle pensait qu'il pouvait s'agir de petits signes de ses parents. Cela ne l'inquiétait donc pas, bien au contraire. Elle aimait ces moments, car, chaque fois, elle ressentait une onde bénéfique parcourir son corps et se terminer par un courant d'air frais qui lui donnait la chair de poule. Elle fit un sourire, en disant « je vous aime ! », tout en regardant le cadran du four, et elle quitta la pièce.

Le dimanche après-midi, Sophie fut à l'heure pour le jogging. Elle sonna pour prévenir de son arrivée et Anna descendit rapidement. Les deux jeunes femmes se dirigèrent vers la forêt qui longeait le canal.

Elles rejoignirent la piste du canal à petites foulées pour s'échauffer et augmentèrent le rythme lorsqu'elles arrivèrent sur les plaques de béton qui recouvraient le cours d'eau qui traversait Carnoules. Il devait faire environ 17° et le ciel était rempli de cumulus.

— L'école se passe bien pour les enfants ? demanda Anna.

— Oui, Ugo a plus de devoirs, mais ça va, on gère... Il commence à faire sombre de bonne heure, nous n'allons plus pouvoir courir le soir, l'hiver approche à grands pas. Et toi, Anna, comment vas-tu ?

— Tante Cécile m'a appelée, elle aimerait que je passe quelques jours chez elle à Lyon.

— Vas-tu y aller ?

— Je ne sais pas encore. Elle ressemble tellement à maman !

— C'est normal, c'est sa sœur jumelle !

— Oui, je sais, il faudra que je fasse l'effort de m'y rendre, ne serait-ce que pour un week-end. Et cela me permettra de revoir mon cousin.

— Avoir une jumelle n'est jamais évident, surtout dans ces moments-là. Pour elle aussi, les choses doivent être compliquées. Je t'encourage à aller la voir. Cela vous fera du bien à toutes les deux.

Après quarante minutes de jogging, elles rebroussèrent chemin. Quand elles arrivèrent en bas de l'appartement d'Anna, elle invita son amie à venir boire un rafraîchissement. Et elle lui fit part de son projet de voyage au Maroc avec Pierre.

— Il a bien de la chance d'avoir gagné ces vacances, s'exclama-t-elle. Et c'est vraiment très gentil de sa part de t'offrir la place invitée. Savez-vous quand vous partez ?

— Non, pas pour le moment. Pierre va se renseigner sur la meilleure période et il doit se rendre dans l'agence de voyages pour les formalités.

— C'est super tout ça, que des bonnes nouvelles ! Tu auras juste à faire ta valise.

— Je voulais te demander… Pourras-tu me garder Howard ? Je ne souhaite pas l'emmener. Tes enfants l'adorent et je sais que, chez toi, il sera bien.

— Pas de soucis, tu peux compter sur moi pour jouer la nounou canine ! Ton chien est adorable et je l'aime beaucoup. C'est avec joie que je vais le garder. Je vais rentrer. Ma petite famille doit m'attendre. À demain, n'oublie pas, la réunion a été avancée.

— Merci de me le rappeler, bonne soirée.

7

La semaine passa. On commençait à voir les rues des villes et des villages s'illuminer pour les fêtes de fin d'année. Les magasins se paraient de leurs plus belles décorations et, entre deux ventes, le personnel s'employait à embellir les boutiques.

— Et si j'organisais le réveillon de Noël à la villa ? se demanda Anna. Il y a suffisamment de chambres pour accueillir Sophie avec sa petite famille, ainsi que Pierre. Ils pourront tous rester coucher. Ce sera plus prudent.

Elle se dit qu'elle aimerait bien passer les fêtes de Noël entourée de ses amis. En revanche, elle ignorait s'ils étaient disponibles. Elle prit donc son téléphone et leur envoya un message, afin de les inviter le 24 décembre. Tous lui répondirent que c'était une merveilleuse idée et qu'ils acceptaient.

— Génial ! s'exclama-t-elle, je n'ai plus qu'à tout préparer.

En sortant son chien, Anna croisa Marie, sa voisine, qui rentrait à son domicile les bras chargés de paquets. Elle habitait l'appartement situé sous celui d'Anna.

— Veux-tu que je t'aide ? demanda celle-ci.

— Non ça va aller, Ethan m'apporte le reste. C'est l'heure de la promenade d'Howard ? Vous allez vous balader ?

— Oui, il va faire un petit tour et je vais en profiter pour aller chercher du pain.

— Aujourd'hui, nous avons de la chance : c'est une belle journée de printemps, être dehors est vraiment agréable.

Marie n'avait pas plus de 40 ans. Elle vivait seule avec son fils Ethan âgé de treize ans. Anna éprouvait de la sympathie pour eux. C'étaient de très bons voisins, sans histoires, très respectueux. Ethan était toujours là pour rendre service malgré son jeune âge. Il ouvrait la porte d'entrée quand il voyait un voisin arriver avec ses courses ; il ne manquait jamais de dire bonjour quand il croisait une personne. C'était un enfant très attachant. Durant l'été, Anna les avait invités pour un goûter pour faire connaissance. Elle avait réalisé une tarte aux fruits rouges. Marie s'était sentie en confiance auprès d'Anna et lui avait dévoilé une partie de son fardeau lié à sa vie passée. Depuis, les deux jeunes femmes gardaient des affinités et se voyaient de temps à autre pour un goûter avec Ethan. Anna se souvenait avoir été bouleversée par le récit que lui avait fait Marie au sujet de son ex-compagnon.

Marie avait rencontré Hervé chez des amis et elle s'était rapidement installée dans son appartement à Montpellier. Elle l'avait tout de suite aimé : un vrai coup de foudre ! Ils furent très heureux jusqu'au jour où le comportement de son compagnon commença à changer, sans explication. Il sortait seul le dimanche, prétextant se rendre chez un collègue de travail pour l'aider dans ses travaux. Ensuite, il se mit à lui faire toutes sortes de réflexions sans fondements, juste pour la blesser. Il alla jusqu'à lui interdire de se rendre à l'anniversaire de sa nièce. Sa sœur lui en voulut terriblement. Et, lorsque Marie protesta contre cette exigence injustifiée, il devint agressif psychologiquement. Elle ne le reconnaissait plus. Ce n'était plus l'homme de ses souvenirs, l'homme qu'elle avait éperdument aimé. Marie sentait qu'il se passait quelque chose, mais n'en connaissait pas la cause. Elle avait l'impression qu'un étau la pressait un peu plus chaque jour et la tirait vers le fond. Elle se souvenait également qu'en public elle n'avait plus le droit de s'exprimer comme elle le souhaitait. Elle devait constamment surveiller ses paroles et, de ce fait, parlait de moins en moins pour éviter les disputes en rentrant.

Plus le temps passait, plus le malaise grandissait. Un jour, Marie se mit à pleurer sans raison et, à ce moment-là, se rendit compte à quel point elle perdait pied. Cela pouvait devenir dangereux pour le bien-être de son fils. Elle ne voyait presque plus sa famille, cela lui manquait beaucoup. En revanche, elle restait en lien avec ses parents, qui ne supportaient plus de voir la détresse de leur fille. Son père lui avait proposé de venir en vacances avec Ethan pour se changer les idées :

— Quelques jours à Carqueiranne te feront du bien ! lui avait-il dit.

Sur le moment, elle avait refusé. Elle cherchait toujours à comprendre ce qui se passait dans son couple, elle voulait des réponses. Pourquoi Hervé était-il devenu méchant, alors que cela ne semblait pas être dans sa nature ? Elle voulait connaître la raison de ce changement de comportement. Dans le même temps, elle ne supportait plus la vie qu'il lui faisait vivre, il fallait qu'elle prenne une décision concernant son avenir.

Quelques jours plus tard, un matin, le téléphone sonna. Elle décrocha et entendit la voix d'une femme. Celle-ci se présenta comme étant la maîtresse d'Hervé. Elle expliqua que leur relation durait depuis trois ans. Ils avaient eu ensemble une petite fille, désormais âgée de deux ans, qui réclamait la présence de son papa. Prudente, Marie demanda des preuves de ses dires. Les jeunes femmes se fixèrent un rendez-vous dès le lendemain matin. Marie souhaitait ardemment que tout cela soit faux. Mais, en y réfléchissant, cela expliquerait l'attitude de son compagnon. Marie voulait tirer cette affaire au clair. Elle n'en parla pas à son conjoint. Le jour suivant, l'amante vint à l'heure fixée au petit café de la Place du marché. Elle était accompagnée d'une petite fille et montra des photos qui confirmaient ses propos. Marie vit, entre autres, la petite souffler ses bougies pour son deuxième anniversaire à côté d'Hervé, son papa. Pour Marie, il n'y avait aucun doute possible : son compagnon menait une double vie. Elle en fut dévastée, mais se maîtrisa afin de ne pas le montrer. Cette femme lui expliqua le plus simplement du monde qu'elle ne supportait plus de vivre à mi-temps avec l'homme qu'elle aimait, elle voulait mener une vie normale avec un conjoint présent pour son enfant. Elle ne voulait plus de son statut de maîtresse. Il fallait demander à Hervé de faire un choix entre elles deux. Marie, profondément blessée, lui demanda de lui laisser une semaine de réflexion, pendant laquelle il ne fallait pas parler de leur discussion à leur conjoint commun. Après quoi, elles se quittèrent en se saluant, l'une et l'autre très embarrassées…

Sur le chemin du retour, Marie pensa à tout ce qu'elle venait d'entendre et de voir. Elle comprenait pourquoi le comportement de son compagnon avait changé : il menait une double vie, avait deux femmes, deux enfants et sans doute bien du mal à gérer tout cela ! Cela le rendait méchant avec elle.

Marie discuta longuement de sa situation avec ses parents. Pour elle, la solution était simple et sans appel, car elle ne pouvait plus faire confiance à cet homme, il était allé beaucoup trop loin, lui avait menti trop longtemps. Il avait brisé leurs plus belles années. Marie ne pouvait pas pardonner, elle n'en avait pas la force. Elle ne voulait même pas avoir de discussion avec lui sur le sujet. Elle ne souhaitait plus qu'une chose : partir, partir très loin et très vite avec son fils, ne plus voir Hervé…

Dès le lendemain, elle demanda un rendez-vous avec le directeur des ressources humaines de son travail, à qui elle demanda si elle pouvait être mutée dans le laboratoire d'agroalimentaire de Solliès-Pont. Elle avait vu affichés les postes vacants qui correspondaient à son profil. Elle garderait son titre de responsable de secteur et travaillerait avec un nouveau personnel. Le directeur accepta sa candidature, qu'il transmit par e-mail dans la journée.

Une semaine plus tard, Marie reçut l'accord de son entreprise pour être transférée sous quinzaine, si cela lui convenait. Une joie intense l'envahit en lisant ce message. Elle confirma immédiatement son arrivée. Elle posa une semaine de congés pour préparer son déménagement discrètement. Son père vint à deux reprises pendant qu'Ethan était à l'école pour commencer à transporter les cartons que sa fille avait préparés. Le reste du déménagement fut organisé un dimanche en l'absence de son compagnon. Le père de Marie loua un petit camion et ses parents vinrent avec des amis, afin que tout soit réalisé très rapidement. Marie laissa un petit mot sur la table pour expliquer son départ. Hervé ne la recontacta jamais et elle ne le revit plus. Elle s'installa dans la maison de ses parents et y resta deux ans, le temps de se reconstruire et d'apporter un équilibre à son fils. Le plus important à ses yeux était qu'il soit heureux. Puis elle souhaita plus d'indépendance et trouva son actuel appartement à Carnoules, en plein cœur du village. L'endroit lui plaisait beaucoup.

Anna percevait la souffrance que cette femme avait endurée. Savoir que ce type d'homme existait lui faisait froid dans le dos. Anna était à la fois touchée et bouleversée par ces révélations et ressentait de l'empathie pour cette jeune femme. Elle essayait de lui apporter un peu de réconfort en organisant de petites rencontres pour prendre le goûter avec Ethan. Ainsi elles faisaient plus ample connaissance et se découvraient des passions communes. C'était sa manière de lui dire qu'elle pouvait compter sur elle, si elle en avait besoin.

Marie était une femme simple, sans superflu, très naturelle, avec beaucoup de charme. Aujourd'hui, elle avait retrouvé sa joie de vivre, elle était à nouveau heureuse avec son fils.

Anna passa à la villa pour allumer le chauffage. Les nuits commençaient à être froides, il fallait préserver les murs de l'humidité. Elle en profita pour aller chercher dans le garage les cartons dans lesquels étaient empilés les ornements de Noël, ainsi que le sapin. La crèche et les santons étaient soigneusement emballés dans un bac hermétique juste à côté. Elle transporta le tout dans le salon et commença à les déballer et à faire une sélection, en se projetant pour voir comment embellir les lieux, principalement la salle à manger et le salon.

Anna prit tout d'abord le sapin et le déplia avec une nostalgie évidente, car, avant, c'était à sa maman qu'incombait cette tâche. Elle fit de son mieux afin qu'il retrouve ses formes et le plaça dans le salon. Elle opta pour une décoration rouge et blanc. Avec des gestes lents, elle plaça les guirlandes, puis elle fixa les petits accessoires sur l'extrémité des branches et positionna en dernier les grosses boules sur les ramures les plus longues. Anna y consacra une partie de l'après-midi, mais fut fière du résultat obtenu. Il ne lui restait plus qu'à décorer la maison comme savait si bien le faire sa mère, Anna décida de garder cette tâche pour le week-end suivant et alla se promener avec Howard dans la garrigue pour profiter des derniers rayons du soleil de la journée. Elle remarqua une belle branche d'olivier qui lui permettrait de faire la couronne qui ornerait la porte d'entrée, le moment venu. Elle s'aperçut également que le citronnier était bien chargé en fruits et elle eut l'idée d'en utiliser une belle gerbe qu'elle pourrait déposer sur le centre de la table. Les choses se précisaient et cela la rassurait.

Au retour de sa promenade, Anna vérifia les radiateurs afin d'être sûre que le chauffage fonctionnait bien. Elle fit le tour de chaque pièce avant de fermer la villa.

Sur la route du retour, elle s'arrêta à l'église de Carnoules pour prier à la mémoire de ses parents. Elle prit le temps de leur faire part de ses intentions concernant la première fête de Noël qu'elle organisait sans leur présence. Ensuite, elle alluma un gros cierge. Puis elle regagna son appartement. Dans la cage d'escalier, elle rencontra Ethan et l'aida à remonter son vélo.

Une fois chez elle, Anna se rendit dans la cuisine, saisit la cafetière, se servit une tasse de café, y ajouta un peu de lait et du sucre. Elle sortit la boîte de galettes de riz et la confiture, et déposa le tout sur la table ronde. Elle mordit avec gourmandise dans sa galette et but son café au lait à petites gorgées. Après s'être restaurée, elle rinça sa tasse et ses couverts et les déposa dans le lave-vaisselle à côté de l'évier.

Elle se dirigea au salon avec un bloc-notes. Là, elle songea aux préparatifs du repas de Noël et rédigea quelques ébauches du menu, qu'elle souhaitait proche de la tradition provençale. Elle inscrivit tout d'abord la liste des treize desserts : nougat blanc, nougat noir, les quatre mendiants – figues sèches, amandes, noisettes, raisins secs –, des fruits d'hiver – pommes, poires, oranges, mandarines –, pâte de coing. Elle souhaitait également confectionner le gibassier et la pompe à l'huile avec les recettes de sa mère, ainsi que quelques pâtisseries maison.

Anna nota également sur sa liste de prévoir des graines de blé, car le 4 décembre approchait et la Saint Barnabé était importante dans la tradition provençale : ce jour-là, il ne fallait pas oublier de mettre des graines de blé à germer dans trois petites assiettes, puis de surveiller l'évolution de la germination, qui marquait le renouvellement de la nature.

Sophie appela Anna :

— Je suis seule avec les enfants, demain. Clément travaille toute la journée. Cela te dit-il de passer l'après-midi avec nous ? Je vais emmener les enfants au nouveau Village des tortues à Carnoules. Nous n'avons pas encore pris le temps d'y aller.

— Je ne fais rien de particulier demain. Je peux vous accompagner. Ce sera l'occasion pour moi aussi de découvrir le village.

— Super ! Retrouvons-nous à 14 h 30 sur le parking ! À demain, ma belle.

Le lendemain matin, après un copieux petit déjeuner et pendant que le temps le permettait, elle enfila sa tenue de sport et alla faire un jogging sur le chemin qui longe la voie ferrée dans le quartier des Establettes. L'hiver qui approchait commençait à bien se faire sentir. Les matinées étaient fraîches, puis le soleil réchauffait l'atmosphère jusqu'à offrir une chaleur plus clémente l'après-midi.

Anna s'arrêta pour s'étirer et admira la colline avec ses roches aux couleurs camel, que le soleil illuminait entre les pins et les chênes verdoyants. Après avoir réalisé une heure d'activité physique, Anna décida de rentrer, car elle devait passer l'après-midi avec Sophie et les enfants au Parc des tortues et il fallait qu'elle se réserve un peu de temps pour faire le ménage, sortir le chien et préparer de quoi se restaurer.

Elle fut prête à 14 h 15, fit un gros câlin à son animal de compagnie, enfila une veste chaude, mit son écharpe de laine, prit son sac à main et la clé de sa voiture. Elle rejoignit son véhicule.

En arrivant au parking, à Carnoules, elle aperçut Sophie et les enfants et se dirigea vers eux.

— Hello mes petits loups ! Comment allez-vous ?

Les enfants étaient joyeux, un peu excités.

Alice lui décrivit longuement tous les coquillages qu'elle avait ramassés la veille sur la plage avec sa maman. Ainsi que ses parties de toboggan avec les autres enfants. Quant à Ugo, il lui fit un petit compte-rendu de sa semaine passée à l'école. Les enfants avaient beaucoup de choses à raconter, ce qui émerveilla Anna, qui adorait les petits de son amie.

Alice portait un blouson et une jupe à carreaux. De temps à autre, elle tournait sur elle-même pour la faire gonfler comme une voile, tout en regardant sa maman qui faisait semblant de ne pas remarquer.

Après avoir réglé les entrées, ils pénétrèrent dans le parc du nouveau Village des tortues. Le précédent site de Gonfaron étant devenu trop étroit pour le nombre de reptiles qu'il abritait, il avait dû fermer et s'installer sur une parcelle de terrain beaucoup plus grande, aux locaux mieux agencés, équipés avec plus de modernité. C'est ainsi que Carnoules accueillait le nouveau Village des tortues.

Le pôle vétérinaire et le centre de soins s'étaient équipés d'appareillages très récents, prenant en compte la nouvelle modernisation. Le parcours extérieur était long, mais bien délimité. La serre pour les tortues exotiques était parfaitement bien aérée et l'espace aquatique pour les reptiles d'eau douce avait été conçu avec un léger écrin de verdure ce qui rendait la promenade agréable. Il y avait également un espace musée, une boutique et une salle d'exposition où une vidéo pouvait être regardée par tous ceux qui le souhaitaient, afin de parfaire leurs connaissances et, ainsi, mieux protéger ce monde animal que les tortues incarnaient.

En passant devant l'enclos des toutes petites tortues, Alice et Ugo furent ébahis.

— Regarde, maman, comme elles sont minuscules ! Ce sont des bébés ! s'exclama Alice.

— Oui, regarde sur le panneau : il est noté qu'elles ont trois ans, comme toi, ma chérie, répondit Sophie.

— Et moi, maman ? Est-ce qu'il y a des tortues qui ont sept ans comme moi ? demanda Ugo.

— Si tu veux, on va regarder tout en se promenant. Je suis sûre que l'on va en trouver, mon petit cœur, répondit Sophie.

Les enfants étaient ravis de profiter de ce lieu. Ils allaient et venaient pour tout voir et revenaient de temps à autre pour faire une petite synthèse de leurs découvertes à leur mère, qui était contente de les voir si heureux.

Après la visite, les enfants s'attardèrent sur l'aire de jeux située à côté de l'espace bar et restauration. Ce nouveau village pour les tortues était vraiment magnifique, son agencement était une réussite et cela amenait quelques touristes au sein de la commune qui se sentait revivre.

Il était déjà 17 h 30, la journée tirait à sa fin et l'obscurité commençait à tomber.

Sophie demanda aux enfants de dire au revoir à Anna et les deux jeunes femmes s'embrassèrent.

— À demain au bureau, dit Anna en s'éloignant.

La soirée passa vite et Anna alla se coucher pour une nuit paisible.

8

Elle se réveilla à 7 h 30, le lundi matin. Elle savait que sa semaine serait difficile, car elle avait pour mission de préparer l'audit comptable de son service qui se déroulerait la semaine suivante. De la réunion préparatoire, qui s'était tenue la semaine précédente avec le directeur et les principaux responsables du secteur comptable, Anna était sortie avec un plan d'action comportant une liste de tâches à réaliser impérativement dans la semaine.

Elle avait choisi de se faire aider par Sophie, dont elle connaissait l'expérience et le savoir-faire. Elles devaient se réunir à 16 heures pour faire le point et se partager les rôles, afin que l'audit soit bien préparé. Elles seraient également les deux personnes clés pour les éventuels entretiens avec l'auditeur, pendant lesquels il faudrait répondre à ses questions.

Anna prévoyait de se garder le contrôle de toutes les assertions du précédent bilan, ce qui représentait déjà six rapports. L'inspecteur les contrôlerait toutes et ne les validerait que s'il les jugeait conformes au rapport de l'audit. Ce point était très important pour elle, car il reflétait le travail de toute son équipe, qu'elle savait compétente.

Lors de la réunion, Anna demanda à Sophie de prendre en charge les procédures liées à la comptabilité et d'en assurer les mises à jour si nécessaire. Ensuite, elle lui demanda de contrôler les comptes annuels de l'année passée, ainsi que les en-cours, afin de détecter s'il y avait des anomalies à corriger.

Anna savait que ce qui concernait la numérisation des données était correct, car un contrôle régulier était réalisé et la gestion interne était vraiment bien tenue.

Elle n'était pas inquiète pour la revue analytique et elle savait que tout ce qui concernait les charges et les comptes du personnel était à jour, car elle les vérifiait mensuellement.

Anna et Sophie firent quelques heures supplémentaires afin de boucler toutes leurs tâches pour le jeudi soir. Une réunion de suivi fut organisée avec le directeur le vendredi matin à 10 h 30 : il souhaitait vérifier que toutes les actions avaient été réalisées avant l'arrivée de l'auditeur le lundi matin. Il demanda à Anna de prendre en charge l'accueil du visiteur : elle devrait lui faire visiter les locaux de la comptabilité. Cette perspective l'enchanta, car cela lui permettrait de faire connaissance avec cette personne.

Après quelques recommandations, la réunion fut close et le patron leur souhaita de passer un bon week-end, en les remerciant pour le travail de préparation réalisé durant la semaine. Pour détendre l'atmosphère, il précisa qu'il avait confiance et que tout se passerait très bien. Anna rejoignit Sophie à son bureau et elles quittèrent les lieux après avoir bouclé le travail qui était en cours.

Anna décida de passer le week-end à se reposer et alla faire un tour avec Howard à la villa, afin de vérifier que tout allait bien. En traversant le village, elle aperçut un ancien immeuble dont la façade était ornée d'une splendide guirlande de branches de sapin. Des rubans de couleur rouge et des clochettes dorées décoraient les fenêtres et l'entrée principale. En arrivant aux Establettes, elle passa devant un jardin où trônait un père Noël ventru, il scintillait dans la lumière du soleil hivernal. Une fois à la villa, elle fit le tour de la propriété avec son animal de compagnie, qui la suivait en trottinant. Ensuite, elle entra, vérifia la température des pièces et se mit de l'eau à chauffer pour se préparer un thé.

Puis elle décida de prendre un peu de temps pour installer la crèche. Elle retira le vase qui était posé sur le guéridon du salon et y déposa l'étable. Anna était nostalgique, elle pensait à sa maman. Elle positionna les personnages, des santons en argile, et les sujets, tel que sa mère le faisait. Elle se complimenta pour le résultat obtenu. Elle chassa d'un geste les cheveux qui lui tombaient sur le visage et alla se servir un verre d'eau dans la cuisine. En regardant par la fenêtre, elle vit quelques flocons de neige virevolter dans le ciel qui s'était assombri. Heureusement, les températures n'étaient pas négatives et ils se transformaient en gouttes d'eau en touchant le sol. Les fêtes de Noël approchaient à grands pas.

Anna décida de fermer la villa et de rentrer à l'appartement, après avoir promené Howard dans la garrigue. En traversant Carnoules, elle s'arrêta sur la place du cours Victor Hugo, pour se rendre au bistrot, afin de faire valider sa grille de Loto. Elle dut attendre un peu et en profita pour regarder les annonces commerciales et les publicités que le cafetier mettait à la disposition de sa clientèle. Son regard s'attarda sur une affiche faisant la promotion d'une soirée-dégustation au château Fressac, situé au hameau de la Cadière, à six kilomètres de Brignoles. Anna connaissait bien les lieux, elle y était déjà allée avec ses parents. Elle prit une carte pour s'y inscrire peut-être. Pour le moment, elle était encore indécise, quoique, dans son for intérieur, une petite voix lui demandât de s'y rendre. Ensuite, elle tendit sa grille de Loto au serveur qui la valida et Anna acheta une barre chocolatée par gourmandise. Une fois à l'appartement, elle posa sur la table du salon le carton contenant les références du château, car il fallait prendre une décision sans trop tarder et téléphoner pour s'inscrire, si tel était son désir.

Le lendemain matin, Anna appela son amie :

— Cela te dit-il de m'accompagner à une soirée-dégustation au château Fressac ?

— Quand est-ce ? demanda Sophie.

— Le deuxième samedi de ce mois, à partir de 18 heures.

— Je suis désolée, je ne peux pas : nous sommes invités chez les parents de Clément. Je serai à Carqueiranne tout le week-end.

— Ce n'est pas grave…

Anna se posa un instant dans le canapé. Elle eut une pensée pour ses parents et décida de se rendre seule à cette distraction. Elle prit son téléphone et appela le château pour réserver sa place en donnant ses coordonnées. Puis elle enregistra l'horaire de cette sortie dans son agenda téléphonique. Satisfaite de ce choix, elle alla se préparer une tasse de chocolat chaud, qu'elle dégusta avec sa barre chocolatée.

Le week-end passa vite et le lundi arriva, non sans stress, car Anna devait faire en sorte que l'audit annuel de son secteur se passe bien. C'était un véritable challenge pour elle et sa situation professionnelle.

Arrivée au laboratoire pharmaceutique, elle gara sa voiture et se dirigea vers la réception pour accueillir son visiteur. Elle lui fit préparer un badge, afin qu'il puisse aller et venir sur le site et avoir accès à la restauration. Ensuite, elle lui fit visiter le bâtiment administratif et le présenta à ses collaborateurs. Elle lui montra le bureau qui lui était réservé et lui donna ses codes d'accès pour le système informatique. Les documents dont il pouvait avoir besoin avaient été empilés à gauche sur la table de travail attenante. Elle lui signifia qu'il pouvait venir la solliciter chaque fois qu'il le jugerait nécessaire et qu'elle se rendrait disponible pour qu'ils déjeunent ensemble à 12 h 30, si cela lui convenait. Il acquiesça.

L'audit dura trois jours pendant lesquels elle dut répondre à différentes questions. L'inspecteur était d'humeur agréable et restait très cordial. Il ne releva aucune anomalie de fonctionnement sur le contrôle des comptes et des états financiers. Il feuilleta également les procédures des différents cycles qui lui parurent très correctes, ce qui ravit Sophie, car elle en avait modifié quelques-unes. Elle appréhendait un peu son contrôle concernant les annexes et le compte de résultat, mais il ne fit aucun commentaire sur ce sujet durant l'audit.

Anna avait une réunion le jeudi matin avec ses supérieurs et l'auditeur, pour faire un point sur les conclusions du rapport d'audit. À la fin de cette entrevue, elle fut félicitée pour la bonne tenue des assertions qui avaient toutes été validées par l'inspecteur, qui nota une très bonne gestion interne du service et les informa que, de ce fait, il n'y avait aucune action corrective à mettre en œuvre. Il remercia Anna pour sa parfaite collaboration et sa disponibilité et la réunion fut close.

De retour à son bureau, Anna remercia ses collaborateurs pour ce résultat et leur fit un résumé de leur réunion de clôture d'audit, en les félicitant à nouveau pour la qualité de leur travail. En aparté, elle remercia également Sophie pour la mise à jour des procédures de cycle, car l'auditeur n'avait fait aucune remarque à leur sujet, ce qui était important pour le fonctionnement du service et l'image donnée à leurs supérieurs. La semaine se termina joyeusement pour tout le service de la comptabilité qui était fier de sa réussite.

Anna avait prévu d'appeler sa tante Cécile le samedi, afin de lui confirmer sa venue le week-end de son choix, selon ses disponibilités pour la recevoir. Elle ferait le trajet en TGV, afin de sécuriser son déplacement.

En ce vendredi soir, le soleil venait de se coucher. La nuit n'était pas encore tout à fait là. Dans le ciel, on apercevait déjà un astre briller, on le surnommait l'étoile du berger, mais en réalité, ce n'était autre que la planète Vénus. Elle se souvenait que, déjà toute petite, ses parents l'avaient initiée à la découverte du ciel. Certains soirs d'été, lorsqu'il faisait frais, son père l'emmenait dehors et lui faisait découvrir les étoiles, qui commençaient à scintiller dès que la lune se levait. Elle cherchait toujours à reconnaître la Grande Ourse, qui était formée de sept étoiles, dont quatre formaient un rectangle. Quelquefois, elle la confondait avec la Petite Ourse, dont certaines étoiles dessinaient un rectangle plus petit.

Anna aimait regarder longtemps le ciel, afin d'apercevoir les petites météorites tomber, car en brûlant dans l'atmosphère, elles devenaient de jolies étoiles filantes qui illuminaient la nuit.

Son père lui avait appris à reconnaître certaines constellations d'été, elle retrouvait assez facilement la Couronne et le Sagittaire. La Vierge était très compliquée à dessiner, mais elle y arrivait parfois.

Elle se disait qu'un jour, elle aussi aimerait partager ce savoir avec son enfant et lui parler de ses grands-parents, c'est si important de transmettre les valeurs familiales.

Anna arrêta de regarder le ciel, car Howard demandait sa promenade du soir. Elle lui enfila son manteau, crocheta la laisse sur l'anneau et se couvrit chaudement également. Elle croisa Marie dans le hall et lui proposa de venir passer l'après-midi du lendemain avec elle, si elle le souhaitait. Marie opina en la remerciant.

— Je passerai vers 15 heures, indiqua-t-elle.

— Très bien. À demain, répondit Anna.

Puis elle dirigea son animal de compagnie vers le jardin, derrière l'immeuble.

En soirée, Pierre appela Anna pour lui donner des nouvelles de leur voyage au Maroc.

— Je suis allé à l'agence de voyages, l'hôtesse m'a remis des brochures. Si tu veux, nous pouvons les regarder ensemble, lui dit Pierre.

— Pourquoi pas dimanche ? Es-tu disponible ? répondit Anna.

— Ça tombe bien, je ne fais rien de particulier.

— Tu viens manger avec moi ?

— J'apporte le dessert.

Anna reposa son téléphone sur la table du salon et alla s'allonger sur la méridienne. Son chien sauta tout de suite sur ses genoux et elle le caressa.

Le samedi matin, Anna entreprit de confectionner une pâtisserie pour recevoir Marie et Ethan. Elle sortit son livre de cuisine et choisit de faire un cake bicolore. Parfait, elle avait tous les ingrédients nécessaires pour le réaliser. Anna aimait cuisiner, mais elle avait peu l'occasion d'utiliser ses talents culinaires. Ses amis appréciaient toujours ses desserts faits maison.

De temps à autre, lorsqu'elle ne sortait pas, Anna se coiffait rapidement, de façon originale, en relevant ses cheveux grossièrement et en les retenant avec une pince. Quelques mèches rebelles s'échappaient pour venir danser sur sa nuque. Tel était le cas en ce samedi matin.

Après avoir programmé la cuisson de son gâteau, Anna alla dans le salon pour appeler sa tante Cécile. Avec son mari, elle habitait un charmant appartement en plein centre de Lyon, à quelques rues du marché dominical. La résidence était protégée et bien fréquentée.

— Enfin, je t'appelle ! s'exclama Anna.

— Cela fait si longtemps ! Comment vas-tu ?

— Très bien. Je te propose de venir vous voir après les fêtes de Noël.

— C'est parfait, j'en suis très heureuse. Nous pouvons prévoir cela le deuxième week-end, si tu veux.

— Oui, je prendrai le TGV. Je t'enverrai un message pour te donner mon heure d'arrivée.

Anna se ravit de cet appel qu'elle avait si souvent reporté. Il était temps pour elle de revoir son unique famille et de boucler ainsi son deuil.

Parmi les désirs les plus profonds d'Anna, il y avait celui de trouver le bonheur et de fonder une famille. Elle aimerait tant avoir un enfant, ne plus être seule chez elle, le soir. C'est si merveilleux de vivre en famille.

Tout à coup, un orage éclata. Le ciel s'était assombri et les grondements du tonnerre se succédèrent. La pluie se mit à tomber violemment et à fouetter les fenêtres. L'appartement se retrouva subitement dans l'obscurité, alors que l'on était en fin de matinée. Anna alluma le lampadaire du salon pour créer une ambiance plus chaleureuse. Heureusement, cet épisode fut de courte durée.

Marie et Ethan arrivèrent à 15 heures comme prévu. Après avoir échangé quelques mots avec eux, Anna dirigea ses invités vers le salon. Elle offrit une bande dessinée au garçon. Cela le rendit joyeux, il avait le regard brillant et embrassa Anna pour la remercier.

Les adultes se mirent à discuter pendant que l'enfant lisait. Ils abordèrent le sujet des fêtes de fin d'année qui approchaient.

— Nous allons réveillonner chez mes parents. Nous resterons avec eux pendant quelques jours, car j'ai pris des congés, expliqua Marie.

— Eh bien, moi, j'organise la fête de Noël à la villa avec Sophie et Pierre. J'ai encore quelques préparatifs à terminer, car tout ce petit monde restera coucher sur place. J'ai encore les chambres à préparer.

L'après-midi passa rapidement, rythmée par plusieurs sujets de conversation. Puis, après avoir remercié Anna pour cet agréable moment, Marie et Ethan prirent congé. Anna en profita pour sortir Howard : cela lui permettait de les raccompagner chez eux.

Au retour, elle dut essuyer les pattes toutes trempées de son chien et passa un coup de sèche-cheveux sur son bas-ventre qui lui aussi était humide, afin qu'il ne prenne pas froid.

Anna s'installa confortablement dans le canapé avec son animal de compagnie et elle reprit le bloc-notes, sur lequel elle avait commencé à inscrire les premières ébauches du repas de Noël. Elle ajouta quelques nouvelles idées. Elle nota sur un Post-it de ne pas oublier de commander à la boulangerie la bûche au nougat glacé, ainsi qu'un gros pain rond et douze petits pains pour rendre hommage aux apôtres. Elle devait aussi commander six bons morceaux de morue dessalée chez le traiteur. Elle en profita pour compléter sa liste de courses : il lui fallait un chou-fleur bien blanc pour réaliser le gratin qui accompagnerait le poisson, sept douzaines d'escargots en coquille et sept tranches de foie gras à poêler.

Elle s'arrêta là pour le moment, en sachant qu'il lui restait encore à choisir la recette de la pâtisserie qu'elle souhaitait réaliser elle-même. Lors de son prochain passage à la villa, elle récupérerait le cahier de cuisine de sa mère afin d'avoir la liste des ingrédients nécessaires à la réalisation du gibassier et de la pompe à huile qu'elle pouvait réaliser la veille du réveillon.

Anna fut satisfaite de l'avancement et de la tournure que prenaient les préparatifs du repas de Noël.

Le lendemain matin, elle fit la grasse matinée et en profita pour câliner Howard. Son chien était si affectueux, si attachant ! Très souvent, elle se disait qu'elle avait beaucoup de chance de l'avoir. Elle aimait s'en occuper, lui consacrer des petits moments pour jouer avec lui et lui faire de gros câlins, de gros bisous qu'il méritait bien.

Elle sortit du lit vers 9 h 15. Repoussant la couette d'un geste, elle se leva et enfila son peignoir. Ensuite, elle tira les rideaux de la baie vitrée. Dehors la clarté du ciel annonçait que la journée serait belle et ensoleillée.

Anna alla dans la cuisine se préparer son petit déjeuner. Elle installa le nécessaire sur la table ronde, se servit une tasse de café avec un peu de lait. Elle tendit la main vers le grille-pain qui commençait à enfumer la cuisine, elle entrouvrit la fenêtre et saisit les deux tartines bien grillées que l'appareil venait d'éjecter. Puis elle ouvrit le pot de confiture, y plongea la cuillère et en tartina les tranches de pain d'une épaisse couche.

Anna était assise près de la fenêtre. Les quelques rayons du soleil matinal qui pénétraient faisaient briller ses cheveux.

Anna rangea sa chambre et s'habilla d'un caraco assorti à sa lingerie, puis elle opta pour un pantalon de couleur lin et un pull marron. Elle se coiffa d'une tresse sur le côté et fixa tout en haut, près de son oreille, une fleur en tissu vaporeux noir.

Puis elle commença à anticiper la préparation du repas qu'elle allait partager avec Pierre. Elle souhaitait réaliser une entrée chaude et choisit de faire une tarte aux poireaux. Pour le plat principal, elle se décida pour des dos de cabillaud à la crème avec un écrasé de pommes de terre. Dans le réfrigérateur, il y avait de la salade épluchée, du fromage. Pierre devait apporter le dessert, ce qui compléterait le déjeuner.

Elle sortit les olives et les amandes. Elle les mit dans des coupelles, qu'elle déposa sur la table du salon près des verres.

Anna avait hâte de voir la documentation sur le Maroc. Elle sortait la tarte aux poireaux du four lorsque Pierre arriva. Il déposa la pâtisserie dans le réfrigérateur et aida Anna à boucler le repas. Il fit cuire le poisson, pendant qu'elle terminait son écrasé de pommes de terre. Ensuite, ils déposèrent les plats dans le four, pour les maintenir au chaud, le temps de prendre l'apéritif.

Pierre avait apporté à son amie un bouquet de fleurs et une bouteille de vin blanc. Il connaissait son penchant pour le chablis et savait qu'il lui ferait plaisir. Avec un sourire amusé, elle le remercia et mit le bouquet dans un vase qu'elle avait rempli d'eau. Elle le déposa sur la table du séjour.

Pierre et Anna s'installèrent au salon. Anna lui proposa un pastis qu'il accepta et elle se servit un verre de chablis. En grignotant quelques olives, elle regarda la documentation. Elle prit d'abord celle concernant l'hébergement en riad. Celui que proposait l'agence était magnifique, situé dans une médina très proche de Marrakech.

Sur la vue d'avion de la médina, on apercevait les ruelles où étaient installés les souks, ses boutiques artisanales et ses marchands. Par endroit, de la canisse avait été étendue au-dessus des venelles pour couper les rayons du soleil et créer un espace ombrageux durant les fortes chaleurs.

D'autres photographies montraient une grande avenue avec des bâtisses au ravalement de couleur rouge et aux volets bleus, d'autres couvertes de carreaux de mosaïque de différents tons.

— Regarde, Pierre, une brochure très détaillée sur le type de logement proposé, dit Anna en souriant.

— Oui, l'hôtesse m'a prévenu que l'on ne serait pas logé dans un hôtel, mais dans un riad au cœur d'une médina. L'agence a fait ce choix pour sa clientèle afin de mieux faire découvrir la culture de ce pays. La médina est une petite ville dans la grande, on y trouvera tout ce que l'on souhaite. Regarde, une fiche présente les hammams et les centres de soins esthétiques. Plutôt pas mal, tu ne trouves pas ?

— Effectivement, j'ai hâte d'y être.

Le riad était vraiment joli. Depuis l'étage, la vue plongeait sur le patio, ainsi que sur un petit bassin dont le pourtour était orné de plantes en pot. C'était vraiment beau, cela faisait penser à une oasis.

— Le petit plan d'eau doit apporter de la fraîcheur, renforcée par l'absence d'ouvertures sur le grand mur, côté rue, dit Anna.

— Je pense que cela protège l'habitation du bruit et de la chaleur, car c'est plein sud.

— Nous y serons bien, c'est tellement dépaysant ! Rien qu'en regardant cette documentation, on est attiré par la destination.

— Je suis tout à fait d'accord avec toi. Nous pourrions définir aujourd'hui la date de notre séjour, recommanda Pierre. Nous pourrons alors poser nos congés, car ça va venir vite. Après les fêtes de fin d'année, nous commencerons à y songer sérieusement.

— J'aimerais partir la première semaine du mois d'avril, pour profiter d'un bon ensoleillement et revenir bronzée. Qu'en penses-tu ?

— Je me disais que le mois de mars serait un peu frais, surtout si nous voulons sortir le soir. Je suis donc partant pour réserver cette période-là. Je m'en occupe la semaine prochaine, je passerai à l'agence de voyages.

— Nous allons passer un agréable séjour. Encore merci à toi, Pierre. Tu n'étais pas obligé de m'offrir la place invitée de ton voyage.

Et elle l'embrassa sur la joue.

— Tu sais bien que cela me fait énormément plaisir, que nous puissions nous y rendre tous les deux. Et je ne savais pas qui inviter d'autre !

Ils déjeunèrent joyeusement en continuant leur conversation sur leur futur séjour au Maroc. Ensuite, ils débarrassèrent la table, Pierre rangea les couverts dans le lave-vaisselle et Anna mit un peu d'ordre dans la cuisine. Pour profiter du soleil, Pierre proposa d'aller faire une balade avec le chien.

— Et si nous allions faire un tour au ranch qui s'est installé sur la colline du Cros-de-Sauvant ? demanda Anna. Ce n'est pas très loin.

— Très bonne idée ! Nous allons passer par le sentier derrière le canal, ce sera plus rapide que de prendre le chemin, répondit Pierre.

— Je prépare le sac à dos pour Howard et on y va, fit Anna.

En sortant de l'immeuble, ils prirent la direction du canal, puis bifurquèrent vers le sentier. Ils passèrent devant une longue restanque en pierres sèches, qui soutenait la terre que le soleil avait asséchée au fil des années. Puis ils enjambèrent un petit ruisseau, où l'eau insolente déferlait uniquement l'hiver après les pluies orageuses, et se retrouvèrent sur le sentier qu'empruntaient les chasseurs. La forêt était calme. Les promeneurs étaient rares à cette période de l'année. Anna laissa Howard aller et venir à souhait, cela lui faisait du bien de gambader et de sentir les odeurs.

— Quand nous habiterons la villa, ce sera plus simple pour lui, se dit-elle.

Trente-cinq minutes plus tard, ils arrivèrent au ranch. Avec ce beau soleil hivernal, tous les chevaux étaient en liberté dans l'enclos. Une partie du parc était couverte de pins et les bêtes profitaient de cet ombrage naturel. Toutes les clôtures avaient été réalisées avec des planches de bois et cloutées sur des poteaux du même matériau. À proximité, des bâtiments permettaient de mettre le bétail à l'abri du froid et des intempéries de l'hiver. Un chemin faisait le tour de la propriété.

Sur les hauteurs de la colline, des villas trouaient l'écrin de verdure qu'offrait la faune de la forêt et on pouvait voir au loin un vallon avec des pins d'Alep.

Ils regardèrent les chevaux un moment, puis décidèrent de rebrousser chemin et de rentrer à l'appartement. En arrivant, Anna déposa le chien qui gagna son panier pour un repos bien mérité après cette balade. Elle proposa une pause-café, que Pierre accepta volontiers. Il était déjà 17 h 15 et le soleil commençait à se cacher. Ils discutèrent à nouveau de leur futur séjour au Maroc, le temps passa vite.

— Il est déjà 18 h 20, je n'ai pas vu l'heure tourner. Je vais y aller.

Après son départ, Anna s'assit dans le fauteuil et regarda à nouveau la brochure que Pierre lui avait laissée. Elle trouvait cette destination vraiment magnifique, voire magique.

9

Durant la semaine, Anna pensa à la soirée dégustation au château Fressac qui était prévue le samedi en soirée. C'était la première fois qu'elle irait goûter des vins seule. Cela l'angoissait un peu et, de ce fait, elle ne vit pas passer ces journées de travail.

Le vendredi soir, elle commença à choisir sa tenue. Elle hésitait entre un style habillé et une tenue plus décontractée. Elle opta pour des vêtements qui la mettraient en valeur et donna un petit coup de chiffon sur les escarpins assortis à l'ensemble.

À 10 heures, le lendemain matin, le temps était stable, elle en profita pour se rendre sur le marché du cours Victor Hugo. Il y avait de l'animation, les gens s'y retrouvaient pour discuter. Elle acheta des fruits, des légumes et du miel, dont le producteur était présent une fois par mois. Sur le chemin du retour, elle vit un couple de pigeons qui chahutait sur une branche dans le gros platane et cela l'amusa.

À 17 heures, elle commença à se préparer pour se rendre au château. Elle poudra ses paupières d'une ombre légère et traça un trait fin de crayon khôl pour souligner ses beaux yeux verts.

Puis elle releva ses cheveux, les attacha en chignon et se mit un peu de parfum. Elle enfila un chemisier blanc et son tailleur gris perle, dont la jupe étroite s'arrêtait au-dessus du genou pour relever des jambes parfaites.

Elle vérifia sa tenue devant la glace de sa penderie dans la chambre à coucher et fut satisfaite par l'image rendue. Elle chaussa ses escarpins, mit son manteau et prit son sac à main. Avant de quitter l'appartement, elle embrassa Howard en lui demandant d'être sage.

— À tout à l'heure, lui dit-elle.

Elle quitta l'immeuble, s'installa au volant et se glissa dans le flot de la circulation en se concentrant sur sa conduite. Dix minutes après, elle était sur la voie rapide en direction de Brignoles. Arrivée dans le centre, elle suivit les panneaux indiquant la direction du hameau de la Cadière, qui se situait à environ six kilomètres. Bientôt, elle aperçut le château. Il dominait la vaste plaine vinicole, qui appartenait sûrement aux propriétaires de cette grande demeure. Elle vit une pancarte qui signalait l'entrée de la propriété productrice de vins. Elle suivit le long chemin bordé de majestueux oliviers, qui menait au portail en fer forgé blanc. Elle se gara à côté d'autres voitures, il restait de la place.

— Heureusement, je ne suis pas la première, se dit-elle, et je vais découvrir qui est là.

Elle sortit de son sac à main son gloss et en déposa une touche sur ses lèvres. Fin prête, elle sortit de son véhicule et s'orienta en suivant les écriteaux qui menaient à la salle réservée aux dégustations.

Sur place, elle fut accueillie par une femme très distinguée, elle avait la chevelure auburn coupée en carré court et elle portait un châle bordeaux. Anna se rappelait avoir déjà croisé cette personne et fit appel à sa mémoire. Tout à coup, elle se souvint, c'était à l'église de Cuers durant l'été passé. Cette femme était venue prier et elle l'avait remarquée en quittant les lieux. Anna savait que le propriétaire avait eu un accident cardiaque fatal il y avait environ cinq ans. Son père en avait parlé, à l'époque, il avait même assisté aux funérailles. Anna en conclut que cette dame était sans doute sa femme.

La salle de réception était spacieuse et bien agencée. Les grandes tables étaient recouvertes de nappes blanches et l'espace était bien éclairé par un gros lustre central en laiton. Les murs étaient couverts d'une cire murale au ton lin et le mobilier était de style Louis-Philippe. Dans des étagères étaient stockés les verres et des crachoirs avaient été prévus. Dans l'angle gauche de la pièce se dressait un bar à vin. Des tablettes y étaient mises à disposition pour aider à remplir les fiches, ce qui laissait le centre de la pièce disponible aux invités pour les discussions et les échanges en groupe sur les vins goûtés.

À son arrivée, Anna se vit remettre un triptyque. Sur la première page se trouvait une illustration du domaine et de ses vignobles environnants. Le deuxième feuillet présentait l'histoire du château lors des générations précédentes. Le dernier volet était consacré à la présentation des vins que produisait le domaine.

À 18 h 15, une petite allocution eut lieu pour présenter le vignoble et ses cépages, ainsi que le déroulement de la soirée, ses différentes étapes et le thème retenu. La responsable de la cérémonie expliqua comment remplir les fiches de notation, après chacune des dégustations. Elle indiqua que les feuillets étaient préremplis avec plusieurs propositions de réponses. Il suffisait d'en cocher une par thème et d'indiquer la notation sur un score maximum de quinze points. Elle en profita pour dire aux invités que cette réception avait pour but principal de faire découvrir un vin de quintessence rouge et que cette appellation prestigieuse était récente pour le domaine, qui souhaitait le faire connaître. Elle présenta les différentes dégustations : tout d'abord un vin de côte de Provence rosé, suivi d'un merlot rouge, pour terminer par le vin de quintessence rouge. Puis elle souhaita une bonne dégustation aux personnes présentes et elle prit congé.

Anna se rapprocha d'un couple qu'elle connaissait de vue et que ses parents rencontraient lors de ce type d'aventure. Elle engagea la conversation avec eux, ils étaient déjà venus plusieurs fois au domaine et appréciaient ses vins.

La dégustation commença donc par le Côte de Provence rosé. Anna alla au bar pour être servie, elle remarqua que les verres étaient de forme étroite, pour mieux concentrer les arômes. Le serveur lui tendit une coupe et un ensemble de fiches de notation. Puis elle regagna le centre de la pièce avec les autres personnes. À cet instant, une onde de nostalgie la submergea, des larmes lui embuèrent les yeux et elle ferma les paupières pour les refouler. Elle pensait à ses parents. Elle se ressaisit et observa le vin, le fit tournoyer dans son verre et le goûta, d'abord à petites gorgées pour bien imprégner sa bouche, puis dans une plus grande quantité, afin de pouvoir le noter. Elle le trouva excellent et en discuta avec les petits groupes qui s'étaient constitués. La conversation était sympathique, des affinités commençaient à se créer, elle aimait

122

les échanges constructifs qui se multipliaient et elle y participait gaiement.

Plus tard, elle déposa son verre et rejoignit une tablette. Elle se lança dans la lecture des fiches. Elle remarqua sur la première qu'il y avait trois thèmes : la limpidité, la brillance et la couleur. Elle indiqua son score sans hésitation, car le vin avait un très bon équilibre, était fin en bouche, avec des arômes bien soutenus. Elle prit la deuxième fiche. On y retrouvait le nez, la bouche et l'aspect. Elle cocha les cases qui correspondaient à son choix et inscrivit ses notes dans chaque grille. La dernière fiche concernait l'observation visuelle. Elle fit de même que pour les autres. Durant toute la dégustation, Anna se prêta à l'exercice avec une grande attention. L'ambiance était bienveillante, elle apprécia beaucoup ce moment de partage de savoir-faire. Il fallait avoir quelques talents d'œnologue pour mener à bien ce type de mission. Anna savait retrouver les saveurs dans le vin : son père le lui avait appris et, autrefois, ils réalisaient très régulièrement cet exercice ensemble. Il aimait montrer ses talents. Elle prit donc un réel plaisir lors de cette soirée, en mettant à contribution tout ce savoir familial qu'il lui avait transmis.

Elle attribua les meilleures notes au vin de quintessence rouge. Elle n'en avait jamais goûté de si bon auparavant et fit tout de suite la différence avec le vin de merlot. Il avait un équilibre savoureux, possédait un mélange d'arômes de fruits noirs, d'épices. Son tanin était fondu, mais bien présent, ce qui donnait à ce vin une richesse de concentration insoupçonnable. Un très grand vin à envier ! Celui-ci, elle ne le recracha pas, elle prit même le temps de le déguster entièrement.

En fin de soirée, une fois les fiches de notations de la dernière dégustation déposées dans l'urne par les participants, un homme assez grand fit son apparition et alla discuter avec la femme au châle de couleur bordeaux. Anna le regarda, il était vraiment bel homme, se dit-elle.

Le couple qu'Anna avait fréquenté durant la cérémonie remarqua la scène et s'approcha d'elle.

— C'est le fils de Madame Fressac, lui dit la femme.

— Je ne le connaissais pas. Quand je venais avec mes parents, c'était le père qui organisait les dégustations, répondit Anna.

— C'est vrai, c'est si lointain… Quel dommage qu'il lui soit arrivé ce drame, dit l'homme.

— Connaissez-vous la personne qui est avec lui ?

— Bien sûr, c'est sa mère, Madame Fressac. C'est elle qui a pris la suite de son mari avec son fils, répondit la dame.

Le regard d'Anna croisa celui du fils de la propriétaire. Cela ne dura qu'un instant, qui lui parut une éternité. Elle eut le temps de remarquer l'intensité de ses yeux d'un beau brun doré, la couleur des feuilles en automne, se dit-elle. Après quelques secondes, elle coula un regard en biais vers lui et vit son beau visage, mais s'aperçut que ses yeux fouillaient dans sa direction, ce qui la mit mal à l'aise. Elle était toujours avec le couple et engagea la conversation avec eux pour se donner une contenance.

Le fils Fressac commença à faire le tour de l'assemblée, pour remercier les personnes de leur présence et en profiter pour proposer des offres commerciales pour les fêtes de fin d'année. Un serveur distribuait les bons de commande aux personnes intéressées, en précisant que la livraison se ferait à leur domicile. Anna était intéressée et demanda au garçon qui sillonnait la salle de lui en remettre un. Elle fit son choix, cocha dans la liste proposée les crus qui l'intéressaient, indiqua la quantité et rendit la feuille cartonnée sur laquelle elle avait inscrit ses coordonnées personnelles. Discrètement, le fils récupéra la fiche auprès du garçon, tandis qu'Anna reprenait sa conversation avec le couple.

L'héritier Fressac marcha vers eux. Anna le vit arriver, croisa son regard et resta pétrifiée sur place. Ses membres ne pouvaient plus bouger, elle aurait aimé changer de place, s'éloigner de cet homme qui la regardait, mais son corps ne répondait plus aux ordres de son cerveau, elle ne maîtrisait plus rien et resta donc là. Elle le vit s'avancer vers elle.

— Bonjour, je suis Louis Fressac.

— Moi, c'est Anna Barthélemy. Enchantée.

— Qu'avez-vous pensé de cette soirée ?

— J'ai dégusté de très bons vins, surtout le vin de quintessence rouge.

Tout en maintenant la conversation, Anna sentit que les battements de son cœur s'accéléraient. Elle parvint toutefois à maîtriser ses émotions tout en continuant leur tête-à-tête.

Après quelques minutes à converser sur des sujets anodins, Louis s'éloigna en la remerciant d'avoir assisté à la découverte de ces quelques cépages. Il se dirigea vers la porte-fenêtre, car les invités commençaient à partir et il se devait de les remercier comme il se doit, pour leur présence à cette soirée marketing. Il était presque 20 heures. Anna se dit qu'il était temps pour elle de rentrer. Elle se dirigea vers la sortie et vit Louis appuyé contre l'encadrement de la baie vitrée.

— Bonsoir, Anna. À bientôt peut-être, lui dit-il avec un sourire mystérieux, qui la déstabilisa.

Anna aurait aimé trouver les mots pour lui répondre et lui dire combien elle avait apprécié cette soirée et, surtout, leur rencontre. Mais elle avait la gorge nouée par l'effet qu'il produisait sur elle.

— Bonne soirée, répondit-elle simplement, encore troublée.

Il faisait noir, mais le parking du domaine était bien éclairé et elle retrouva sa voiture sans difficultés. Avec la nuit, le froid se faisait plus mordant. Aussi Anna ne s'attarda-t-elle pas inutilement. Elle démarra son véhicule et quitta les lieux à la hâte. Elle arriva rapidement à Carnoules, rejoignit son parking habituel. Mais, à cette heure, il n'y avait plus de place. Elle alla un peu plus loin et se gara sous le gros platane de la Place de la bibliothèque. Elle sortit de sa voiture avec des gestes d'automate : elle pensait à sa rencontre avec Louis, il lui avait plu. Elle remonta la rue et gravit une à une les marches jusqu'à son appartement. Cela faisait bien longtemps qu'un homme l'avait troublée à ce point, songea-t-elle. Elle se dirigea vers la cuisine, sortit du réfrigérateur un Tupperware contenant des carottes râpées et les dégusta avec un morceau de pain. Puis elle se dirigea vers la salle de bain. Elle entra dans la cabine de douche et laissa couler l'eau tiède sur son corps. Elle pensait toujours à Louis. Elle ne se reconnaissait pas.

Lorsqu'elle avait croisé son regard lors de la soirée, quelque chose de très fort s'était produit dans son corps et elle l'avait ressenti. Elle était persuadée que cela avait été réciproque, car il l'avait abordée d'une manière particulière et elle l'avait surpris à plusieurs reprises en train de la chercher du regard. Anna se dit qu'elle aimerait le rencontrer dans d'autres circonstances, avec plus d'intimité pour discuter d'autre chose que de mondanités et pouvoir faire plus ample connaissance. Peut-être que le ciel l'aiderait à obtenir cette occasion, pensa-t-elle.

Le lundi fut une journée comme les autres. Mais Anna était à la fois joyeuse et mélancolique. Son comportement lui était très inhabituel et cela se voyait. Sophie le remarqua rapidement, elle connaissait si bien son amie.

— Que se passe-t-il, Anna, tu as des soucis ?

— Non, j'ai juste rencontré le fils du domaine des Fressac, lors de la dégustation, samedi soir.

— Ah ? Raconte !

— Justement, je n'ai pas grand-chose à dire, si ce n'est que j'ai tout de suite ressenti une attirance pour lui, comme un coup de foudre. J'ai été troublée dès que nos regards se sont croisés. J'ai été mal à l'aise tout le reste de la soirée et, depuis, je n'arrête pas de penser à lui. Il est constamment dans ma tête. En plus, je crois que c'était réciproque. Je ne sais pas si je vais le revoir.

— De ce côté-là, ne t'inquiète pas. S'il veut te revoir, il trouvera le moyen. Les hommes sont doués pour cela. Sois patiente et, surtout, suis ton instinct. Je suis contente pour toi, Anna, et j'espère que cette rencontre va suivre son chemin.

10

Le 21 décembre, à 11 heures du matin, on sonna chez Anna. Elle alla ouvrir et fut surprise : c'était Louis, qui lui apportait sa commande de vins. Une rose rouge était scotchée sur le colis. Anna était comblée par cette visite si inattendue, mais n'en laissa rien paraître.

— Bonjour, Anna. Je ne vous dérange pas ? J'ai souhaité livrer votre colis personnellement, fit-il avec un sourire séducteur, presque sensuel.

— Et vous avez bien fait, lui répondit-elle, en tentant de maîtriser son émotion. Entrez, je vous en prie.

Son chien arriva dans l'entrée et se mit à aboyer. Anna le fit taire et le lui présenta. Lorsqu'il lui remit le paquet, leurs doigts s'effleurèrent. À ce simple contact, une décharge électrique remonta le long de son bras. Anna se figea, surprise par cette réaction. Louis la fixa quelques secondes avec son beau regard noisette.

Elle lui proposa un café, qu'il accepta, et le servit dans le salon.

Elle était suffisamment proche de lui, maintenant, pour discerner le cercle d'un brun chaud qui entourait l'iris mordoré de ses yeux. Elle ne se déstabilisa pas en le regardant, elle découvrit qu'elle aimait le contempler.

La conversation alla bon train. Anna se dévoilait par petites étapes, afin de laisser à Louis le temps nécessaire pour qu'il puisse parler à son tour, car elle souhaitait faire plus ample connaissance. Elle voulait le découvrir et s'aperçut qu'elle buvait ses paroles, elle aimait le sentir là, si proche d'elle, elle humait son parfum, son odeur, tout cela lui plaisait. Louis lui expliqua en quoi consistait son travail au domaine et énuméra quelques-unes de ses fonctions.

Quand il fut temps pour lui de repartir, il lui dit :
— J'aimerais vous revoir, Anna, et vous tutoyer. Est-ce possible ?
— Oui, bien sûr, répondit-elle, le sourire aux lèvres, en levant vers lui un regard plein de tendresse.

Ils échangèrent leurs numéros de téléphone portable, pour convenir ultérieurement d'un rendez-vous. Louis quitta l'appartement après avoir déposé un baiser sur la main d'Anna. Celle-ci alla à la fenêtre du séjour et le regarda partir. Le soleil matinal l'enveloppait de sa lumière douce et ocre. Un tourbillon de sensations l'envahit. Elle imaginait Louis la caresser et ressentait le frémissement de sa peau. Elle aurait tant aimé qu'il l'embrasse fougueusement, cela faisait si longtemps qu'un homme l'avait aimée. Aujourd'hui, elle ressentait le besoin de se retrouver dans les bras puissants d'un homme.

Anna réalisa les derniers préparatifs du réveillon durant la semaine le précédant, ce qui la réjouit. Elle souhaitait que cette fête avec ses amis soit une réussite. Elle posa donc une semaine de congé, afin de faire tranquillement les courses et de parfaire la décoration de la villa. La veille, à la villa, Anna réalisa la couronne en branches d'olivier et la fixa sur la porte d'entrée. Elle prépara également le centre de table, avec une belle ramification de citronnier sur lequel elle laissa trois citrons bien jaunes. Elle alla couper du houx dans la garrigue et en fit un gros bouquet qu'elle déposa près de la cheminée. En soirée, avant de regagner son appartement, elle prit le temps de confectionner deux desserts, la pompe à huile et le gibassier, à partir du cahier de recettes de sa mère. Après une après-midi bien remplie, elle rentra tardivement à l'appartement et se coucha relativement tôt, pour être en forme le lendemain, car il y avait encore à faire.

— Demain, ce sera la veille de Noël, se dit-elle.

Et cela l'enchanta profondément, car elle avait hâte de retrouver ses amis.

Le jour du réveillon, Anna se leva tôt. Elle souhaitait arriver à la villa le matin, au plus tard à 10 heures. Ses amis avaient prévu de venir vers 18 h 30, ce qui lui laissait le temps de faire ses dernières pâtisseries et de dresser la table.

Elle arriva à 10 h 15 aux Establettes. Le soleil l'éblouit lorsqu'elle sortit de sa voiture. Elle déposa sa tenue de soirée dans la penderie de sa chambre. Puis elle alla chercher le reste des courses, car elle était passée chez le traiteur et le boulanger. Après avoir déposé tous les sacs sur l'îlot de la cuisine, elle commença par ranger les produits frais au réfrigérateur. Puis elle se fit un café, qu'elle but devant le sapin. Elle trouva qu'il avait plutôt fière allure.

Elle arrosa les petites assiettes de blé. Les graines avaient bien poussé. Elle plaça une des assiettes dans la crèche, deux sur la nappe blanche de la table de séjour et en profita pour déposer de manière équilibrée les trois chandeliers équipés de bougies rouges neuves.

Elle plaça la rose de Jéricho proche du centre de la table, afin que chaque personne puisse la voir. Elle trouvait qu'elle avait bien reverdi et qu'elle s'était épanouie. Cela faisait trois jours qu'elle l'avait mise dans un petit bol d'eau. Cette fleur était précieuse à Anna, car elle avait appartenu à sa mère et elle savait combien elle en prenait soin afin de pouvoir la ressortir chaque année.

Anna sortit la belle vaisselle et commença à dresser les couverts sur la table de la salle à manger. Elle plia soigneusement les serviettes et les posa à côté des assiettes. Puis elle termina sa tasse de café en contemplant la salle à manger et le salon. La décoration était parfaite.

— C'est beau, la maison revit, se dit-elle.

Et elle alluma le sapin et la crèche.

C'était la première année depuis la disparition de ses parents qu'Anna fêtait Noël. Elle y voyait un signe, car elle les sentait présents et tout proches d'elle quelquefois. Elle se disait que l'année qui arrivait serait riche de bons moments, d'espoirs et de renouveau pour elle. Elle avait tellement envie de trouver le bonheur, d'être heureuse et, depuis qu'elle avait rencontré Louis, elle voulait y croire plus que tout. Il lui plaisait tellement.

Anna rejoignit sa chambre à coucher pour revêtir sa tenue pour la soirée. Elle se tint debout devant la fenêtre et regarda le ciel. Elle perçut un grondement d'avion juste au-dessus de la villa. Il n'y avait pas de nuages, elle se dit que la nuit de Noël serait froide.

Ses amis arrivèrent un peu plus tard. Pierre apporta une grosse bûche en bois de cerisier. Anna l'en remercia du regard, lorsqu'il la déposa devant la cheminée. Les enfants de Sophie étaient joliment vêtus et apportaient quelques jeux pour chasser l'ennui. Après avoir monté les valises dans les chambres, Anna proposa à ses convives de prendre l'apéritif au salon. Pierre alluma l'insert de la cheminée et les rejoignit rapidement.

— Pastis, les hommes ? demanda Anna.

— Volontiers, répondit Clément.

Elle proposa un verre de vin blanc à Sophie, celle-ci acquiesça.

Anna apporta un plateau, sur lequel elle avait disposé quelques toasts pour égayer l'instant. Tout en les dégustant, les convives se lancèrent dans des discussions joyeuses. Sophie demanda :

— Quand comptes-tu t'installer définitivement ici ?

— Au mois de mars. Je le ferai progressivement, indiqua Anna.

— Tu y seras bien, c'est calme ici et le petit Howard sera ravi, j'en suis sûre, répondit son amie.

— La messe de minuit est à 22 h 30 à l'église de Carnoules, commenta Pierre.

— Effectivement, nous essaierons de partir à 22 h 10, cela suffira. J'irai avec toi, Pierre. Ainsi, nous ne prendrons que deux voitures, ce sera plus facile pour trouver une place de parking.

— Ça me paraît bien, s'exclama Clément.

Et la causette reprit entre eux, sur différents sujets. La nuit était tombée et les guirlandes clignotantes du sapin mettaient de la couleur dans la pièce. De temps à autre, la conversation baissait pour regarder les enfants jouer et reprenait aussitôt de plus belle.

Les treize desserts étaient répartis sur une table ajoutée près de la cheminée. Les enfants commencèrent à y goûter et les adultes en firent autant, car le souper ne commencerait qu'après la messe de minuit et la faim se faisait déjà sentir.

L'heure de se rendre à la messe arriva. Ils se vêtirent chaudement, car l'église était froide. Anna laissa la lumière extérieure allumée pour plus de commodité au retour.

Après avoir garé les voitures, ils se retrouvèrent et se dirigèrent ensemble vers le lieu saint. La mairie de Carnoules avait installé un gros sapin de Noël sur la place de l'église. Il était animé par des guirlandes électriques multicolores.

Ils prirent place dans le chœur et la messe commença. Les paroles du curé résonnaient sous la voûte. Les chants de Noël étaient accompagnés par les flûtes et les tambourins. La nativité fut célébrée par des cantiques en provençal, dans lesquels on ressentait la ferveur religieuse des participants. Ce fut une très belle messe. Les fidèles s'attardèrent ensuite pour bavarder sur le parvis de la petite église. Quand Anna fut dehors, elle remonta le col de son manteau et réajusta son écharpe. Elle remarqua que le ciel était rempli d'étoiles qui scintillaient de mille feux, une vraie magie de Noël.

De retour à la villa, Anna occupa les enfants dans leur chambre, le temps que leurs parents déposent sous le sapin les paquets enveloppés de papier multicolore. Pierre déposa la grosse bûche dans la cheminée. Il l'arrosa trois fois de vin cuit sous le regard de ses amis, puis ils récitèrent la phrase rituelle en regardant les flammes :

— Cache le feu, allume le feu l'an prochain. Si nous ne sommes pas plus, que nous ne soyons pas moins.

Ils se regardèrent d'un air satisfait et les enfants coururent au sapin pour ouvrir leurs cadeaux.

Des cris de joie emplirent la maison de gaieté et cet enchantement plut beaucoup à Anna. Puis le repas commença. Anna était fière de présenter ses mets et régala avec ses différents plats toutes les personnes présentes sans exception. Elle fut congratulée pour ses talents culinaires.

Ils continuèrent à bavarder pendant le dîner. Anna vécut la soirée du réveillon joyeusement en pensant à ses parents et à Louis, qu'elle devait revoir le lendemain soir.

Les enfants quittèrent la table et allèrent jouer au salon avec leurs cadeaux. Ils rayonnaient de joie, c'était beau à voir.

Anna avait ouvert une bouteille de vin rouge de quintessence du domaine Fressac pour accompagner le fromage. La discussion à propos de cette dégustation alla bon train, avec quelques allusions au fils de la propriétaire du château. Tous trouvèrent cette petite pépite délicieuse.

Les enfants commençant à sommeiller, Sophie alla les coucher dans la chambre qui leur était réservée à l'étage. Vers 2 heures du matin, Anna entra dans le salon avec un plateau chargé de tasses, de chocolat fumant et d'une assiette de biscuits maison en forme de sapins de Noël. Elle servit les tasses de chocolat, puis s'assit sur le pouf près du fauteuil où se trouvait son amie.

L'atmosphère de la soirée était chaleureuse.

Un peu plus tard, Anna s'affaira à desservir avec l'aide de Sophie. Les garçons entendirent des exclamations de joie qui fusaient de la cuisine, les deux amies profitaient d'un moment de complicité pour se laisser aller.

À 3 h 30 du matin, tous décidèrent qu'il était grand temps d'aller se coucher, car le sommeil commençait à se faire sentir et les paupières devenaient lourdes.

Anna passa une partie de la nuit à rêver : elle se voyait dans les bras de Louis et l'imaginait en train de la caresser, de l'embrasser. Elle sentit la fièvre se répandre en elle et embraser tout son corps. Le désir s'empara d'elle et la réveilla. Elle se leva et gagna la cuisine, prit une petite bouteille d'eau dans le réfrigérateur, l'ouvrit et en but deux gorgées. Elle l'emporta avec elle et retourna se coucher. Elle se rendormit vite, d'un sommeil paisible et sans rêve cette fois.

Après cette belle nuit de Noël, tout le monde se réveilla vers 10 h 30 du matin. Pendant que les enfants dressaient la table dans la salle de séjour, Anna et Sophie préparèrent le petit déjeuner. Ensuite, les deux jeunes femmes apportèrent les plateaux avec le chocolat fumant et le café chaud agrémentés de toasts et de brioche. Après un moment de silence pendant lequel chacun finissait de se réveiller, quelques apartés reprirent sur différents sujets. Durant la nuit, la neige était tombée, enveloppant toute la région d'un beau manteau blanc. En regardant par la fenêtre, Anna trouva que le jardin était magnifique ainsi vêtu de blanc. Les enfants enfilèrent leur blouson pour aller faire un gros bonhomme de neige avec leur papa. Après s'être préparées et avoir marché dans la neige en appréciant le crissement de leurs pas, les deux amies s'affairèrent à préparer le repas pour le déjeuner, avec les restes de la veille. Anna riait aux plaisanteries de Sophie, ce qui faisait apparaître quelques ridules au coin de ses yeux et son regard était pétillant de joie.

Par la fenêtre de la cuisine, Anna regarda vers la colline et vit la cime des pins d'Alep enneigée et le soleil qui commençait à perdre en intensité, laissant derrière lui un flamboiement aux couleurs pourpres et safran.

Ses amis quittèrent la villa vers 16 h 30. Au moment des au revoir et des embrassades sur le pas de la porte, Anna leur dit :

— J'ai de la chance d'avoir des amis comme vous !

Sophie répondit :

— Non, c'est nous qui sommes de sacrés veinards de t'avoir comme amie. À bientôt et… bonne soirée…, ajouta-t-elle avec un regard complice.

Anna fit un sourire en guise de réponse.

Après leur départ, la villa redevint si calme qu'Anna eut l'impression un bref moment d'entendre ses pensées. Howard vint la rejoindre pour un câlin. Elle rangea la villa, car elle devait retrouver Louis à l'appartement à 18 h 30, ce qui lui laissait le temps de faire ce qu'elle avait à faire avant son départ. Elle entreprit donc de retirer les draps et de faire une première tournée de machine pour les laver. Ensuite, elle passa l'aspirateur dans le salon et le séjour. Plus tard, vers 17 h 30, elle quitta la villa pour son appartement. Sur le chemin du retour, elle s'arrêta à la boulangerie de Carnoules pour acheter des macarons.

Pour la soirée, elle se vêtit d'une robe de cocktail près du corps de couleur noire, agrémentée de quelques fils pailletés dorés, ce qui mettait sa silhouette en valeur. Elle couvrit ses épaules d'un gilet court rose poudré et elle se chaussa d'escarpins en cuir noir et aux talons dorés. Elle prépara et posa sa petite sacoche dorée sur le meuble de l'entrée. Louis arriva avec quinze minutes de retard. Anna le fit entrer, il la trouva absolument éblouissante, avec ses cheveux qui ondulaient sur ses épaules. Son maquillage léger donnait de la profondeur à son regard et mettait en valeur ses jolis yeux verts. Il prit sa main et l'embrassa en guise de bonjour, ce qui lui donna un délicieux vertige.

Louis était grand et élancé. Il portait une veste noire sur une chemise blanche et un pantalon bleu marine. Il était chaussé de souliers noirs entretenus à la perfection. Sa chevelure brune était bien coiffée. Anna le trouva très beau et très élégant, ainsi vêtu. Elle aimait les hommes qui avaient de la classe et de l'élégance. Elle le regarda et lui sourit, ce qui renforça la lumière dans son regard. Cela n'échappa pas à Louis. Un léger silence s'établit. Ce fut Louis qui le rompit.

— J'ai pensé à toi, Anna.

Il avait prononcé ces mots d'un ton bas. Anna dut faire appel à toute son énergie pour garder son sang-froid, elle éluda cette phrase pour éviter d'avoir à y répondre et demanda :

— Où m'emmènes-tu dîner ?

— J'ai réservé au petit restaurant du lac, à Flassan.

— C'est un très bon choix. Le lac est magnifique avec ses canards et son couple de cygnes. Et il est très bien éclairé la nuit en hiver.

Louis gara sa voiture sur le parking du restaurant et ils remontèrent à pied l'allée qui menait à l'auberge. Le serveur les installa près de la baie vitrée qui donnait sur le lac, Anna fut satisfaite de cet emplacement qui lui permettait de voir le paysage. Le garçon leur proposa un apéritif que Louis accepta. Anna prit juste un verre de Perrier citronné. Plus tard, il apporta la carte et leur laissa le temps de choisir leur menu. Louis engagea avec Anna une conversation sur son emploi, afin de la découvrir davantage. Puis il lui demanda si elle était célibataire. Elle lui répondit qu'elle était séparée depuis plusieurs années, mais que son ex petit ami était devenu un grand ami qu'elle fréquentait toujours. Elle voyait en lui un frère de substitution. Leur lien était sans équivoque pour l'un comme pour l'autre. À son tour, Anna posa quelques questions et lui demanda s'il était un homme libre. Il lui répondit qu'il était veuf depuis trois ans et qu'il était totalement disponible.

— Je suis désolée.

— Malheureusement, la vie peut parfois être cruelle.

Anna trouva le repas délicieux et très bien cuisiné. Plus tard, le serveur apporta la carte des desserts et Anna fut surprise que Louis choisisse des profiteroles au chocolat, car c'était son dessert favori. Cela leur faisait au moins un point commun ! Après avoir mangé leur dessert tout en continuant la discussion, Louis demanda à Anna si elle souhaitait prendre un café. Elle acquiesça. Il appela le serveur pour passer commande et demanda deux morceaux de chocolat noir.

— Voilà une très bonne initiative ! lui dit Anna, j'aime le goût du cacao amer avec le café.

— C'est la même chose pour moi. Surprenant…

Cela leur faisait déjà deux points communs. Pour un début, ce n'était pas mal du tout !

La soirée terminée, Louis la raccompagna.

— J'ai passé un excellent moment avec toi, Louis.

— Merci, il en a été de même pour moi.

Elle l'embrassa sur la joue et lui dit à bientôt.

— On s'appelle ! reprit-il.

Anna acquiesça et descendit de la voiture.

Louis apprécia qu'elle ne lui propose pas un dernier verre chez elle, car il lui aurait été difficile de résister à la tentation de son corps. Il avait tellement envie d'elle, de lui faire l'amour, de sentir son corps tout contre lui, de humer son parfum ! Quand il l'imagina nue, une bouffée de désir monta en lui. Il chassa vite ces pensées et reprit ses sens. Quelques instants plus tard, il quitta le bourg et se dirigea vers Brignoles pour regagner le domaine.

Blottie sous la couette, guettant le sommeil, Anna se rendit compte à quel point elle était attirée par Louis. Il était arrivé dans sa vie comme ça, sans prévenir, et déjà il la rendait heureuse, alors qu'elle le connaissait à peine. Cette sensation était étrange. Elle ne voulait pas brûler les étapes pour autant. Elle devait veiller à être prudente et voir comment allait évoluer cette relation, qui n'était pour le moment qu'une forte attirance physique. Peut-être n'était-il qu'un bourreau des cœurs, après tout ! C'était une véritable question pour elle, à laquelle il lui faudrait une réponse. Il fallait qu'elle apprenne à bien le connaître, car elle souhaitait une relation sérieuse.

Louis était arrivé au domaine. En délassant ses chaussures, il pensa à la conversation qu'ils avaient eue lors de cette soirée. Il trouvait bizarre qu'Anna soit restée en aussi bons termes avec son ex petit ami. Cela le gênait presque. Il trouvait cette relation un peu particulière, voire surprenante, et il avait hâte de les voir ensemble pour en juger. Il se demandait également ce que souhaitait Anna quant à l'évolution de leur relation et prévoyait d'aborder le sujet lors d'un prochain rendez-vous. Sur cette réflexion, il alla se coucher et dormit d'un sommeil agité, car il pensait à Anna qui avait un charme irrésistible. Au plus profond de lui-même, il souhaitait que cette rencontre évolue dans le bon sens. Il sentait déjà comme une onde qui les unissait.

Le lendemain matin, alors qu'il prenait son petit déjeuner, il réalisa combien il était impatient de revoir Anna. Il y avait longtemps qu'il n'avait pas ressenti un tel désir. Elle lui manquait déjà. Il aimait la vivacité qui se dégageait d'elle et la spontanéité avec laquelle elle avait répondu à ses questions.

Un peu plus tard, dans la matinée, il appela le fleuriste et lui fit livrer un bouquet de fleurs, avec ce petit mot :

Je pense bien à toi, bonne journée, Louis.

À 10 h 30, Louis avait une réunion au domaine avec le directeur d'exploitation, qui souhaitait dynamiser les ventes et avait, pour cela, plusieurs propositions à soumettre à Louis. Il voulait aussi revoir leurs outils de marketing pour les faire évoluer. Il proposa également de rendre visite à des restaurateurs et cavistes en Suisse, où existait un marché à prendre : cela pourrait considérablement augmenter le chiffre d'affaires du domaine. Les dégustations au château fonctionnaient bien et optimisaient les commandes, il proposa donc d'en faire au moins six par an, pour faire venir la clientèle. Pour lui, c'était une très bonne publicité et cela permettait de faire découvrir les vins. Louis approuva les nouveaux objectifs de ventes qui lui semblaient très pertinents et qui amélioreraient sûrement les résultats, qui étaient plutôt stagnants ces temps-ci.

Il avait à l'ordre du jour une autre réunion avec le directeur d'exploitation, en fin de journée, pour revoir les propositions tarifaires et les offres commerciales. Il fallait prévoir également d'ouvrir le domaine à des visites guidées pour faire découvrir le vignoble et, ainsi, attirer de nouveaux clients et améliorer la notoriété du domaine. Louis devait par ailleurs voir le chef de culture du vignoble dans l'après-midi, pour faire un point sur les cépages et les travaux à réaliser sur certaines parcelles. Son agenda indiquait également qu'il devait se rendre à Montpellier le lendemain pour discuter stratégie marketing avec des cavistes. Il en profiterait pour visiter quelques restaurants et leur laisser des offres commerciales.

En fin de journée, il appela Anna, il souhaitait la revoir très vite.
— Cela te dit-il de prendre un verre sur le port de Hyères, samedi soir ? lui demanda-t-il.
— Pourquoi pas ? répondit Anna.
— Je passe te prendre vers 19 heures.
— Ça marche. À samedi !

11

La semaine passa vite. Le vendredi, Anna regarda dans sa penderie, examina sa garde-robe d'un air indécis pour choisir une tenue qui plairait à Louis. Comment allait-elle s'habiller ?

Elle voulait une tenue à la fois sobre et élégante. Elle finit par sortir sa robe en lainage gris, elle l'étudia un moment avant de se décider.

— Cela conviendra parfaitement, se dit-elle.

Elle prévoyait de mettre son manteau noir et son écharpe de laine, car les soirées étaient un peu fraîches. Elle accompagnerait sa tenue de bottines de cuir noir. Satisfaite d'avoir résolu ce petit problème d'habillement, elle alla se servir un verre d'eau à la cuisine. En regardant par la fenêtre, elle remarqua que le temps avait changé et que le soleil du matin avait disparu. Une petite pluie fine l'avait remplacé.

Dans l'après-midi, Anna prit Howard et se rendit à la gare de Toulon pour acheter son billet de TGV pour le vendredi suivant. Elle devait se rendre à Lyon chez sa tante Cécile et y passer le week-end. Durant la semaine à venir, il fallait qu'elle songe à préparer son sac de voyage. Sachant que sa tante aimait les excursions, elle s'attendait à quelques sorties pour visiter la ville. Des chaussures de marche seraient donc les bienvenues, il ne fallait pas les oublier. Elle prendrait une tenue élégante pour voyager. Ensuite, un jean, deux tee-shirts et un pull feraient l'affaire, ainsi elle serait à l'aise pour les balades.

Anna se réjouissait de revoir enfin son unique famille. Elle avait déjà acheté un cadeau pour sa tante, un carré de soie. Elle espérait qu'il lui ferait plaisir. Pour son oncle, elle avait prévu une bouteille de vin rouge du château Fressac. Il était amateur de bons vins, elle était donc sûre de ne pas se tromper avec ce choix.

Elle avait hâte que le vendredi suivant arrive, mais, avant, elle devait revoir Louis le lendemain soir. Cette soirée était importante pour elle : elle serait déterminante pour la poursuite de leur relation. Elle avait l'intention de lui poser des questions très précises, pour connaître la tournure qu'il souhaitait lui donner. Anna ne voulait pas d'une liaison sans lendemain et ce point devait à tout prix être éclairci. Dans l'après-midi, elle avait rendez-vous chez le coiffeur. Sa chevelure était devenue trop longue, elle en fit couper cinq centimètres, pour l'alléger et lui permettre de boucler naturellement. Ensuite, elle passa à l'institut de beauté du centre commercial : elle avait pris rendez-vous pour une séance de massage et un soin beauté du visage, pour illuminer sa peau.

Elle voulait être belle et se sentir en pleine forme pour plaire à Louis.

Elle alla se coucher vers 22 h 30. Son sommeil fut agité. Cette nuit-là, elle traversa des rêves étranges, à la fois troublants et érotiques. Son corps semblait demander quelque chose, dont elle n'avait pas l'habitude. Il la trahissait avec toutes ces émotions qui en émanaient et qu'elle ne maîtrisait pas.

Le samedi matin, elle téléphona à sa tante pour lui communiquer ses horaires d'arrivée et de retour et lui dire combien elle se languissait de les revoir. Ensuite, après avoir rangé l'appartement, elle se rendit à la villa pour vérifier le chauffage. En arrivant aux Establettes, elle sentit l'odeur particulière de la garrigue en hiver, ce mélange de senteurs mêlé à l'humidité. Son regard se perdit sur l'horizon et les collines avoisinantes. Tout à coup, elle vit un renard passer sur le chemin de son impasse, son pelage roux était magnifique. L'animal était un habitué des lieux, ce n'était pas la première fois qu'elle le voyait. Il devait chasser dans la forêt de pins un peu plus haut sur la colline.

Anna entra dans la villa et vérifia chacune des pièces, pour s'assurer que tout allait bien.

Elle ouvrit les fenêtres, pour aérer vingt minutes, ensuite elle referma et laissa les volets clos. Plus tard, elle décida de profiter de sa sortie pour s'arrêter au centre commercial et y faire quelques courses. Et elle rentra directement à l'appartement.

Après avoir rangé ses achats, Anna lut un peu pour se détendre. À 18 heures, elle ferma son livre et alla se préparer pour la soirée. Elle enfila sa tenue, se parfuma, réajusta son maquillage et prépara son sac à main qu'elle déposa dans l'entrée avec ses chaussures.

Louis arriva vingt minutes en avance.

— Je ne t'attendais pas si tôt, dit Anna en ouvrant la porte.

— Sans doute l'impatience de te revoir, lui répondit-il.

Anna l'embrassa sur la joue et Louis se sentit enveloppé par son parfum à la fois exquis et délicat, presque envoûtant.

— Veux-tu boire quelque chose ?

— Il vaudrait mieux que l'on parte maintenant pour éviter l'embouteillage à l'entrée d'Hyères.

Louis était vêtu d'un smoking noir et d'une chemise de soie blanche, il avait une élégance naturelle et son visage était souriant.

Anna se doutait que Louis était peu disponible, que son agenda d'homme d'affaires était bien rempli, mais cela lui importait peu, à partir du moment où il la rendrait heureuse, car ce qu'elle recherchait chez Louis, c'était l'amour.

Assise dans la voiture de Louis, elle ressentait la sensation à la fois déconcertante et mystérieuse d'être en présence de l'homme qui lui était destiné. Elle le contempla, elle se sentit troublée, il était si séduisant et son charisme le rendait encore plus attirant.

Louis commença la conversation sur des sujets neutres, ce qui détendit Anna. Il aimait sa présence et sentait qu'il pouvait être en parfaite harmonie avec elle. Elle était si raffinée, si belle.

Ils arrivèrent à Hyères et Louis gara son coupé Mercedes sur le parking du port. Il coupa le moteur. Avant de quitter la voiture, Anna voulut discuter un peu, « pour mettre leur relation à plat » lui dit-elle.

— Louis, ne le prends pas mal, mais j'ai besoin de savoir ce que tu attends de notre relation, car je ne veux pas d'une aventure sans lendemain. Il faut que je sache avant que nous allions trop loin.

Pendant qu'elle parlait, Louis l'observait en silence, le souffle coupé. Il la trouvait simplement superbe. Il détailla chaque trait de son visage pour en mémoriser les moindres détails. Il avait une lueur dans les yeux et lui fit un sourire rempli de complicité. Il répondit :

— J'ai bien compris ton inquiétude, elle est tout à fait justifiée. Mais, je te rassure, je ne suis pas à la recherche d'aventures d'un soir, cela ne m'intéresse pas. Ce que je souhaite, c'est faire une belle rencontre, qui dure et qui puisse m'apporter du bonheur. Je cherche une personne qui puisse devenir ma femme, Anna. J'ai besoin de quelqu'un à mes côtés. Nous recherchons tous deux la stabilité. C'est un très bon point commun pour un début et cela méritait d'être éclairci. Tu as bien fait de le faire, je souhaitais également aborder ce point ce soir.

Louis souhaitait prendre le temps nécessaire pour ne pas la brusquer et, surtout, laisser leurs sentiments évoluer naturellement, apprendre à bien se découvrir et se connaître. Il rejeta délicatement une mèche de ses cheveux qui lui tombait sur le visage, lui prit la main et l'embrassa tendrement.

— On y va ?

Anna répondit d'un sourire et sortit de la voiture. Ils se dirigèrent vers le port. Louis avait réservé une table dans un restaurant spécialisé dans les fruits de mer. Le maître d'hôtel les conduisit à leur table et leur proposa un apéritif. Anna demanda un verre de chablis et Louis prit un vin rouge millésimé. On leur apporta un grand plateau de fruits de mer, que Louis avait commandé durant la semaine. Il choisit avec le sommelier une bonne bouteille de vin blanc pour accompagner ce délicieux plateau.

Anna dégageait un charme naturel, elle était gaie et cela se voyait. Les sujets de conversation ne manquaient pas. De leur table, ils avaient vue sur le port et les bateaux de plaisance étaient superbes. Quelques citadins se promenaient avec leurs enfants ou leur animal de compagnie. Ce restaurant était très prisé et, quarante minutes après leur arrivée, toutes les tables étaient occupées. Malgré tout, l'endroit était calme. Les enfants présents ne chahutaient pas, ils étaient bien tenus par leurs parents, ce qui laissait à la salle à manger son atmosphère feutrée et reposante. Anna comprit pourquoi Louis avait choisi ce lieu si dépaysant. Le repas fut excellent et les serveurs très courtois. Ils restèrent donc un certain temps à converser. Louis demanda à Anna :

— As-tu de la famille ? Des frères et sœurs ?

— Non, je n'ai ni sœur ni frère. Je suis non seulement enfant unique, mais, depuis deux ans et demi, je suis également orpheline. Mes parents sont décédés après un accident de voiture. Cela a été très brutal pour moi. Néanmoins, il me reste ma tante, Cécile, la sœur jumelle de maman. Elle habite à Lyon et, d'ailleurs, je passe chez elle le prochain week-end.

— Je suis vraiment désolé, Anna. C'est très dur ce que tu me révèles là.

— Je commence à aller beaucoup mieux. Et puis, je t'ai rencontré, la vie reprend le dessus !

Louis était triste de ce qu'il venait d'apprendre. Elle n'avait pas mérité de vivre un tel désarroi. Elle avait dû être terriblement malheureuse.

— Parle-moi de toi, Louis, demanda Anna.

— Eh bien, comme je te l'ai dit précédemment, moi aussi j'ai connu la tristesse. J'ai perdu mon épouse il y a trois ans. Son cancer a récidivé et, en six mois, il s'est généralisé. Cela a été très dur pour moi de la voir se dégrader et de me sentir impuissant face à sa douleur. Cela m'a dévasté et je me suis réfugié dans le travail en y cherchant l'oubli. Maintenant, ça va mieux, j'ai fait mon deuil. Nous n'avions pas d'enfants, nous avions prévu d'en avoir, mais la vie ne nous en a pas laissé le temps. Je vis au château avec ma mère. Tu as dû la voir le jour où tu as participé à la dégustation.

— Effectivement. Ta maman est une très belle femme.

— Et elle est très courageuse, elle ne s'est pas laissé aller après la mort de mon père, il y a maintenant cinq ans. Elle a continué à tenir les rênes du domaine, il n'y a pas eu de chute dans les ventes. Pourtant elle était malheureuse.

— Comment ton père est-il décédé ? demanda Anna.

— D'une crise cardiaque. Les secours sont arrivés trop tard, lui répondit Louis.

— C'est triste.

Après s'être découverts un peu plus, ils quittèrent le restaurant et allèrent faire quelques pas sur le port. Anna réajusta son écharpe de laine, car la soirée était fraîche et l'air marin bien vivifiant, ce qui les ravigota. Ils continuèrent à converser sur différents sujets. Louis lui parla de ses responsabilités au domaine et lui expliqua en quoi consistait son travail. Celui-ci l'accaparait beaucoup et nécessitait de nombreux déplacements afin de conquérir de nouveaux marchés. Il lui expliqua que le résultat des ventes était très important pour que le domaine vive bien.

Plus tard, il raccompagna Anna.

— Quelle merveilleuse soirée ! lui dit-il, en la déposant devant son immeuble.

— Et l'homme qui est devant moi l'est plus encore, lui répondit-elle.

Ils se dirent bonsoir en s'embrassant amicalement. Elle sortit du coupé Mercedes et lui fit signe de la main pendant qu'il s'éloignait. Elle se dirigea vers la cage d'escalier menant à son appartement. Elle gravit les marches en pensant à Louis : elle en savait un peu plus, maintenant, et cela la confortait de savoir qu'il n'était pas un homme mal intentionné.

Elle avait de lui l'image d'une personne stable, sur laquelle elle pourrait compter plus tard, pour le pire et le meilleur, elle le sentait. Anna allait pouvoir avancer dans sa relation avec lui et cela la réjouissait. Elle se sentait soudain transformée par le bonheur, qui tout doucement pointait son nez.

Elle sortit Howard et alla se coucher. Le plaisir pétillait en elle, comme de minuscules petites bulles de champagne millésimé bien frais. Elle s'endormit rapidement d'un sommeil profond et, cette fois, sans rêves. Cela faisait si longtemps qu'elle n'avait pas fait de rêves. Lorsqu'elle se réveilla, le lendemain, dimanche matin, le soleil entrait à flots par la baie vitrée de sa chambre, car elle avait oublié de tirer les rideaux la veille au soir. Elle entendit le gazouillis des oiseaux qui chahutaient dans les arbustes, sur la place, ce qui lui donna envie d'aller faire un jogging sur le canal. Cela lui permettrait de brûler les calories qu'elle avait emmagasinées la veille au restaurant. Elle enfila son jogging et mit ses chaussures de sport. En sortant de l'immeuble, elle prit le sentier caillouteux, il la conduisit sur les hauteurs du canal. Un couple de corbeaux survolait les vignes dénudées de toutes feuilles. Sans doute étaient-ils en train de chasser.

Après avoir fait deux heures de course à pied, Anna décida de rentrer. Elle était bien essoufflée. En remontant à l'appartement, elle croisa Marie et Ethan, qui descendaient.

Elle en profita pour les prévenir qu'elle s'absenterait le week-end suivant.

— Je vais à Lyon, chez ma tante. Je rentrerai le dimanche soir, je prends le TGV à Toulon, leur dit-elle.

— Nous te souhaitons un bon séjour en famille, lança Marie.

Une fois chez elle, Anna alla se doucher et prit un copieux petit déjeuner, qu'elle se servit dans la cuisine. Elle avait décidé de passer la journée à ne rien faire : un peu de farniente lui ferait grand bien. Aujourd'hui, elle ne ferait rien de spécial et surtout pas le ménage. Elle verrait cela la semaine suivante. Elle empila quelques livres, revues et magazines sur la table du salon, s'installa bien confortablement dans la méridienne et choisit un magazine. Elle s'apercevait que Louis lui apportait beaucoup de bien-être et elle se demandait s'il ressentait la même chose.

Le lundi soir, Sophie et Anna allèrent boire un verre après leur travail, dans un petit bistrot de Brignoles. Anna se confia à son amie au sujet de sa rencontre avec Louis.

— Raconte-moi ta soirée de samedi, demanda Sophie.

— Nous sommes allés dîner sur le port d'Hyères dans un restaurant très sympa, spécialisé dans les fruits de mer. Le serveur nous a apporté un grand plateau, c'était vraiment délicieux, l'atmosphère était parfaite. J'ai bu un très bon vin de chablis, que Louis a choisi. Nous avons beaucoup parlé et cela m'a fait du bien de mieux le connaître. Il m'a précisé que ses intentions à mon égard étaient honnêtes. Cela m'a rassurée, je sais que je ne perds pas mon temps avec lui. Je ne voulais pas de malentendus entre nous sur ce point. Tout est clair pour nous. En plus, il s'est comporté en vrai gentleman, il est galant, prévenant, il me plaît vraiment beaucoup. J'ai apprécié cette soirée et, surtout, sa compagnie. Je crois que je commence à sentir pour lui plus qu'une attirance.

— Anna, je suis très heureuse pour toi. Tu mérites tellement de faire une belle rencontre, d'être heureuse, de vivre un conte de fées ! Je te le souhaite sincèrement et de tout cœur.

Après avoir passé un moment ensemble, les deux jeunes femmes quittèrent les lieux.

Le jeudi soir, Anna se réjouit en préparant son sac de voyage. Elle savait que son cousin serait là et qu'ils allaient pouvoir discuter entre eux. La perspective de le revoir lui faisait plaisir, il lui avait beaucoup manqué. Lorsqu'ils étaient enfants, ils étaient toujours complices pour faire des bêtises, elle s'en souvenait parfaitement. À l'époque, il dessinait déjà, c'était sa passion et il était très doué. Anna se rappelait qu'il savait fort bien ce qu'il voulait faire plus tard et il n'avait jamais changé de cap. La publicité l'avait toujours intéressé. Il avait réussi ses études et avait intégré un gros publicitaire indépendant. Il y avait rencontré Marina, qui y travaillait sur l'organisation des campagnes publicitaires en tant qu'agent. Jérôme, lui, préparait de très jolies maquettes. Il avait vraiment trouvé sa voie et il gagnait bien sa vie.

12

Le vendredi, Anna quitta son travail à 15 heures. En arrivant à l'appartement, elle se prépara un en-cas qu'elle dégusta dans la cuisine, puis descendit son sac de voyage et le déposa dans le coffre de sa voiture, à côté du sac à dos d'Howard. Elle devait partir à 16 h 30, car le TGV arrivait à 17 h très précises. Après être remontée à l'appartement, elle habilla chaudement son chien avec son manteau de fourrure. Il était frileux en hiver. Puis elle-même revêtit sa veste longue en tweed et son écharpe. Arrivée à sa voiture, elle installa confortablement son chien dans son panier, l'attacha avec son harnais.

Elle rejoignit la grande voie qui conduit à Toulon. La circulation était fluide et elle arriva avec un peu d'avance. Elle alla garer sa voiture au parking souterrain de la gare. Elle fixa son sac à dos sur ses épaules, ouverture sur le devant, introduisit Howard à l'intérieur en vérifiant que ses pattes étaient bien positionnées sur le petit carré de lainage. Le chien se coucha pour se mettre à l'aise. Tout petit, Anna l'avait habitué à voyager ainsi, afin de ne pas le perdre dans la foule. Elle prit son sac de voyage et remonta l'escalier du parking, traversa la rue et gagna le quai de la gare. Elle monta dans le TGV qui venait d'arriver et trouva sa place près de la fenêtre.

Elle sortit un livre et sa bouteille d'eau, rangea son bagage, puis s'installa confortablement en espérant que le voyage ne prendrait pas trop de retard.

Son oncle s'était déplacé pour l'accueillir à la gare. Ils s'embrassèrent et prirent rapidement quelques nouvelles l'un de l'autre. Il lui ouvrit le coffre en même temps qu'ils parlaient, et Anna y rangea machinalement ses affaires, avant de monter dans la voiture. Ils rejoignirent la résidence. En arrivant, elle remarqua que l'appartement de sa tante et de son oncle n'avait pas beaucoup changé : le mobilier était le même, tout comme l'atmosphère, et il y flottait toujours cette odeur de cire mêlée au bois. La collection de gros santons en bois n'avait pas bougé de l'étagère dans le salon.

— J'ai mis ta valise dans la chambre d'amis. Tu verras, la vue est belle sur le jardin de la résidence. Et tu as une petite salle de bain attenante, lui dit son oncle Georges.

Sa tante préparait l'apéritif pour fêter l'arrivée de sa nièce.

— Que veux-tu boire ? demanda Georges.

— Comme ma tante, un petit verre de blanc, on ne change pas les bonnes habitudes, répondit-elle en souriant.

Au même moment, sa tante revint de la cuisine avec un plateau rempli de douceurs, comme elle savait si bien le faire. Elle déposa le plat au centre de la table du salon.

— Ton petit Howard est toujours aussi adorable, commenta Cécile qui avait le chien dans ses bras.

— Travailles-tu toujours aux laboratoires pharmaceutiques de Brignoles ? reprit Georges.

— Oui, je suis passée responsable de mon secteur, dit Anna.

— Voilà une bonne nouvelle ! lui dit-il.

— C'est si agréable que tu sois là, Anna. Tu me manquais beaucoup, confessa sa tante, les yeux larmoyants.

En guise de réponse, Anna lui sourit avec une infinie tendresse.

Durant l'après-midi, Cécile avait préparé le repas. Elle se leva pour aller mettre le couvert dans la salle à manger, Anna la rejoignit et lui proposa de l'aider. Elle alla chercher les assiettes dans le buffet et sortit les jolis verres. Elles mirent la table tout en discutant. Elles étaient vraiment heureuses de se revoir après tout ce temps. Pendant le repas, quelques discussions reprirent sur différents sujets.

— Tu vis toujours seule ? demanda Cécile.

— Oui, mais j'ai rencontré quelqu'un dernièrement. Notre relation débute, mais c'est sérieux, il me plaît beaucoup et j'ai confiance en lui, répondit Anna.

— Je souhaite que ta vie s'épanouisse, dit Cécile.

Après le repas, les deux femmes débarrassèrent la table. Puis elles rejoignirent Georges au salon, pour terminer la soirée devant un téléfilm. Un instant, Anna se perdit dans ses pensées. Elle songea à Louis qui venait de lui envoyer un message. Il lui manquait et cela la rendait légèrement nostalgique. Son oncle s'en aperçut.

— Tu dois être fatiguée par ton voyage, une bonne nuit de sommeil te fera du bien, lui dit-il.

— Oui, je vais aller faire une balade avec Howard dans la résidence, ensuite j'irai me coucher, répondit-elle.

À son retour, le téléfilm était terminé, sa tante venait d'éteindre la lumière du salon. Son oncle lui fit la bise en lui souhaitant bonne nuit. Anna se dirigea vers sa chambre. Cécile voulut lui parler, mais se ravisa et se contenta de lui souhaiter de bien dormir.

Anna entra dans la chambre d'amis et vit que le papier peint avait été refait. La petite salle de bain attenante était dans les mêmes tons, la cabine de douche avait été carrelée et la porte vitrée était bien épaisse. Elle déposa sur le meuble ses accessoires de toilette. De retour dans la chambre, elle trouva que l'atmosphère était chargée d'une légère odeur de lavande. Il y en avait un gros bouquet séché dans un vase, sur le guéridon. En y regardant de plus près, elle vit que Cécile avait accroché des chrysalides de cigales. En détaillant la pièce, elle remarqua aussi un bouquet d'immortelles sur l'étagère de la petite bibliothèque où trônaient quelques livres.

Cette nuit-là, Anna eut du mal à s'endormir. Sa tante avait changé de coiffure et s'était teint les cheveux en blond foncé, ce qui lui allait d'ailleurs très bien. Elle pensa que c'était sans doute pour s'éloigner physiquement de sa jumelle Emma et, ainsi, ne pas réveiller des souvenirs douloureux chez Anna et lui éviter du chagrin. Car les deux sœurs se ressemblaient à s'y méprendre, beaucoup les confondaient. Anna appréciait cette initiative. Elle regarda par la baie vitrée avant de tirer les rideaux. Son oncle avait raison, le jardin était magnifique. Sous la palmeraie, les spots créaient un joli décor de lumière qui s'harmonisait avec les lampadaires. La pelouse était bien verte, sans doute grâce à l'arrosage automatique. Dans le parc poussaient de nombreuses essences ornementales et le tout était harmonieusement disposé par rapport aux habitations. Anna prit son portable et envoya un message à Louis, pour lui dire qu'elle était bien arrivée, que le voyage s'était bien passé et, surtout, qu'elle avait hâte de le revoir à son retour. Il lui répondit immédiatement. Il ne dormait donc pas encore. Anna finit par s'endormir, en se laissant bercer par ses pensées pour Louis.

Le lendemain matin, après un copieux petit déjeuner, sa tante lui proposa de passer la journée en excursion tous les trois. Anna accepta. Cécile lui proposa un itinéraire qui leur permettrait d'aller déjeuner le long du fleuve dans le quartier des Gones. Ils connaissaient un restaurant de très bonne réputation qui excellait dans les spécialités servies dans les bouchons lyonnais. Elle y était allée plusieurs fois avec Georges, la cuisine y était excellente. De plus, l'ambiance dans la salle à manger était vraiment très conviviale et très chaleureuse. L'établissement valait le détour. Cécile prévoyait de commencer la journée par la visite de la basilique Notre-Dame de Fourvière et de s'attarder sur les hauteurs de la colline pour admirer Lyon.

Ils prirent donc le métro et arrivèrent par le funiculaire en haut du parc de Fourvière, juste devant la basilique en plein ouest. Anna s'émerveilla devant les voûtes extérieures très ouvragées, un pur chef d'œuvre. Ils gravirent les marches en admirant la magnifique rambarde en fer forgé fixée sur la droite de la bâtisse. En atteignant le parvis, ils remarquèrent la façade de style Renaissance italienne et le traversèrent pour passer sur le flanc gauche, qui offrait un point de vue magnifique sur la ville de Lyon et les alentours. Ils s'y attardèrent un moment. Ensuite, ils entrèrent dans le lieu saint, en firent le tour pour l'observer attentivement. Après avoir allumé un gros cierge, ils prirent le temps de se recueillir près

156

du chœur. Puis ils se dirigèrent vers la sortie en empruntant la nef.

En quittant l'esplanade, ils s'avancèrent vers la Passerelle des Quatre-Vents et traversèrent les Jardins du rosaire. Le terrain était en pente, mieux valait avoir une bonne paire de chaussures de marche. La Passerelle des Quatre-Vents offrait une vue magnifique sur Lyon, les monts alentour et les monuments. Au loin, ils apercevaient la colline de la Croix-Rousse, dont l'immense croix de couleur ocre dominait le plateau et dont on pouvait escalader – avec précaution – le gros caillou. Comment était-il arrivé là ? Il était posé sur l'herbe et la place avait été cimentée autour de lui. Les immeubles, agencés eux aussi tout autour, semblaient vouloir le protéger des vents violents des journées de mistral. La passerelle était longue, elle suivait le tracé d'une ancienne voie de chemin de fer, qui autrefois servait à transporter les voyageurs et les cercueils jusqu'au cimetière de Lyasse au bout du parc de Fourvière. Aujourd'hui, l'ambiance était heureusement moins lugubre et cette promenade offrait un superbe panorama à qui savait s'y attarder. Ils aperçurent aussi le théâtre gallo-romain : ses marches en pierre et ce qui restait de ses colonnes. En remontant les escaliers à la sortie de la passerelle, ils virent quelques traboules – des passages très étroits – et des terrains de pétanque, sport favori de nombreuses personnes durant les journées ensoleillées. Des bancs placés à l'ombre des mûriers accueillaient les visiteurs. Anna était ravie par cette balade, ravie de redécouvrir Lyon et ses lieux favoris.

À présent, ils marchaient vers le quartier des Gones pour aller se restaurer. Ils traversèrent quelques petits coins de verdure qui devaient être bien agréables en été. Ils arrivèrent un peu plus tard au restaurant. Lorsqu'ils ouvrirent la porte, les effluves de la bonne cuisine montèrent à leurs narines. Elles embaumaient la salle.

— Notre marche matinale m'a bien ouvert l'appétit, annonça Georges.

— Manger va nous faire reprendre des forces pour cette après-midi, renchérit Cécile.

Le menu du jour était principalement composé de cochonnaille. Elle fut servie avec un vin de beaujolais au goût unique. Dans la salle à manger, toutes les tables étaient occupées. La journée ensoleillée avait incité les promeneurs à sortir, ce qui devait expliquer cette affluence. Après le repas, un café leur fut servi. Avant de repartir, Cécile demanda :

— Anna, veux-tu que nous allions faire un tour dans le quartier Saint-Jean ?

— Oui, j'aime ce quartier avec ses petites ruelles pavées.

— Et il y a beaucoup de rues piétonnes. Pour se promener, on y est plus en sécurité, ajouta Georges.

Ils quittèrent le restaurant et allèrent vers le plus beau quartier Renaissance qui soit, après Venise bien sûr.

— Nous pourrions aller visiter la cathédrale. À l'intérieur, les vitraux sont beaux. Elle n'est pas comparable à la basilique de Fourvière, mais elle vaut quand même le détour. Elle a beaucoup de charme, dit Cécile.

Après avoir marché un certain temps, ils arrivèrent devant le lieu saint. Un beau monument en mémoire de saint Jean Baptiste se dressait sur la place. Il rappelait le baptême de Jésus. Après s'être attardés devant l'édifice, ils entrèrent dans l'église par la nef entièrement voûtée. La rosace de vitraux au-dessus du chœur était parfaitement visible, les reflets des rayons du soleil apportaient une note colorée dans tout le chœur. Anna prit le temps de faire le tour de l'église. Elle examina les statues des saints, toutes dans un état remarquable. Les lieux étaient très bien entretenus.

Puis elle souhaita revoir le grand carrousel du parc de la Tête d'Or. Enfant, elle y allait avec ses parents, lorsqu'ils venaient rendre visite à Cécile et Georges. Elle se rappelait parfaitement la beauté du manège, les animaux étaient en bois sculpté et joliment peints de très belles couleurs. Elle montait toujours sur le petit cochon. Sur la place, il y avait en permanence des enfants, car le manège tournait toute la journée. Il fallait voir comme ils étaient heureux lorsqu'ils grimpaient sur l'animal de leur choix. Leurs sourires étaient radieux. Après avoir passé quelques instants à les regarder sur leurs montures de bois, ils décidèrent d'un commun accord d'aller manger une gaufre sur la place Bellecour, la plus vaste de Lyon. Ils passèrent à proximité de la statue équestre de Louis XIV et gagnèrent la gaufrerie spécialisée dans la gaufre au chocolat blanc.

À l'intérieur, il y avait un petit salon de thé. Ils choisirent une table en retrait et passèrent commande.

— Chocolat chaud et gaufre au chocolat blanc pour tout le monde ? demanda Georges.

Anna et Cécile répondirent oui en même temps ce qui les fit rire. Cette halte leur permit de se reposer un peu et de se requinquer.

— Nous avons passé une excellente journée, cela m'a fait beaucoup de bien de revoir tous ces lieux, dit Anna.

— Par ce beau soleil, il aurait été dommage de rester enfermés, répondit Cécile. Tu n'es pas trop fatiguée ?

— Non. J'aime la marche. Je suis restée sportive, tu sais.

— Je propose que l'on prenne le métro pour rentrer, lança Georges.

Cécile et Anna acquiescèrent.

— Ce soir, Jérôme vient dîner avec nous. Il va te présenter Marina. C'est une femme très agréable. Il se languit de te revoir.

— Moi aussi. Nous avons tellement de choses à nous dire, répondit Anna.

En rentrant à la résidence, Anna prit Howard et alla le promener. À son retour, elle proposa à Cécile de l'aider à préparer le repas du soir.

La sonnette de la porte d'entrée retentit à 18 h 30, annonçant l'arrivée de Jérôme et de son amie Marina. Après une joyeuse embrassade, ils prirent des nouvelles d'Anna, pendant que Cécile et Georges servaient l'apéritif dans le salon.

Une fois que tous furent installés dans les fauteuils, Georges prit la parole.

— Nous trinquons à nous tous, dit-il en levant son verre.

Tout le monde imita son geste, puis les verres tintèrent joyeusement les uns contre les autres. La soirée fut apaisante. Ils n'abordèrent aucun sujet ayant trait au décès des parents d'Anna, ce que celle-ci apprécia. Toutes les conversations étaient orientées vers l'avenir. Jérôme raconta à sa cousine qu'il vivait avec Marina depuis six mois. Pour ce qui concernait leur travail, tout se passait bien pour le moment, le groupe leur confiait de bons budgets. Anna discuta avec Marina, elle la trouva charmante. Les échanges ne cessèrent pas pendant toute la durée du repas et, quand le dessert arriva, tous remercièrent la maîtresse des lieux pour ce généreux repas et ce savoureux dessert. Cécile était radieuse après ce repas de famille, que la gaieté avait accompagné. Plus tard, les femmes rejoignirent les hommes au salon, avec un petit plateau sur lequel Cécile avait déposé des tasses de café et une coupelle remplie d'un assortiment de bouchées au chocolat. Lorsque la soirée se termina, Georges proposa à Jérôme et à Marina de rester coucher sur place, car il était tard. Ils acceptèrent. Marina se félicita d'avoir apporté quelques effets personnels dans son bagage à main. Chacun monta dans sa chambre, après quelques embrassades pour se dire bonsoir.

Le dimanche matin, les jeunes gens décidèrent d'aller faire un tour sur le marché dominical, proche de la résidence. Anna prit son chien pour qu'il s'aère et se dégourdisse les pattes. Elle fit quelques achats – notamment une robe – tout en discutant avec Marina.

Après le déjeuner, le temps de repartir arriva très vite. Anna avait préparé son sac de voyage. Elle prit une bouteille d'eau fraîche pour elle et Howard. Puis sa famille l'accompagna jusque devant la gare. Anna y remarqua la grosse horloge qui ornait la façade et se dressait vers le ciel.

Ce fut le cœur lourd qu'elle s'éloigna de ses proches. Elle avait tellement apprécié ce week-end ! Après les embrassades et les accolades, elle entra dans la gare. Elle monta les marches de l'escalier, agrémenté de part et d'autre d'une rambarde en fer forgé. En dessous, elle vit des tables et des chaises mises à disposition des voyageurs pour faciliter leur attente. Pour s'orienter, elle suivit la signalétique, car la gare était grande. Elle nota que celle-ci était bien conçue. L'affluence était raisonnable, il y avait suffisamment d'espace pour se déplacer vers les quais.

Le TGV arriva. Anna monta avec Howard.

Le trajet se déroula sans incident. Anna se sentait nostalgique. Elle pensait aux lieux qu'elle avait revus et qu'elle fréquentait régulièrement, autrefois, avec ses parents. Elle se remémora le parc animalier de Fourvière, ses parents l'y emmenaient chaque fois qu'ils venaient à Lyon chez sa tante. À l'époque, elle aimait voir ces animaux qui l'émerveillaient et qui ne demandaient qu'à tourner en rond sur le carrousel. Elle aurait aimé avoir le temps de retourner aussi dans le quartier Saint-Georges, de revoir la crêperie où ses parents et elle s'arrêtaient toujours pour manger une crêpe avant de reprendre le métro.

Les souvenirs devenaient trop douloureux. Elle chassa sa tristesse en câlinant son chien et se mit à penser à Louis. Pourquoi lui manquait-il déjà autant ? Elle avait l'impression de vouloir aller trop vite dans leur relation. Elle s'aperçut qu'elle était déjà très attachée à lui, ses sentiments amicaux se transformaient en amour. Elle aimait sentir sa présence, son odeur : ils lui apportaient du réconfort. Pendant le week-end, il lui avait envoyé deux messages auxquels elle avait répondu. Il souhaitait passer la voir chez elle le mardi soir suivant. Elle avait accepté, cela la réjouissait. Laissant aller ses pensées, elle regarda le paysage, son regard se fixa sur l'horizon lointain.

Le TGV entra en gare de Toulon et Anna descendit avec son chien. En sortant de la gare, elle découvrit que le mistral soufflait en violentes rafales. Elle frissonna, piquée par le froid que le vent dégageait, releva le col de son manteau, cala bien son écharpe et y fit un nœud pour qu'elle ne s'envole pas. Puis

162

elle accéléra le pas pour traverser la rue et gagner le sous-sol du parking, afin de récupérer sa voiture. Elle déposa son sac de voyage dans le coffre, plaça Howard dans son panier à l'arrière, puis lui mit son harnais et l'attacha à la ceinture de sécurité. Elle fit le trajet en direction de Carnoules en modérant sa vitesse, car les bourrasques de mistral la faisaient dévier de sa trajectoire. Elle tenait le volant à deux mains, pour ne pas quitter la route. Cette météo l'inquiétant, elle écouta une chaîne d'informations à la radio, pour en apprendre plus. Quelques instants après, elle changea de station pour sa préférée, qui diffusait de la musique. Elle écouta ses tubes favoris qui y tournaient en boucle. Arrivée devant son immeuble, elle trouva sans difficultés une place de parking. Après avoir pris son chien et son sac de voyage, elle se dirigea vers la cage d'escalier à vive allure, car les coups de vent la déstabilisaient. Elle eut malgré tout le temps de voir que le palmier de la place ployait sous la violence des rafales.

Une fois dans l'appartement, elle entendit les fenêtres et les volets gémir sous les bourrasques. Elle vérifia que les volets étaient tous bien crochetés, car la nuit s'annonçait mouvementée. Elle se coucha bercée par les rafales, qui créèrent des bruits étranges toute la nuit.

Le lendemain matin, un triste soleil d'hiver eut du mal à s'élever dans le ciel, mais le hurlement du mistral s'était tu au petit matin.

13

En ce mois de janvier, l'hiver était bien installé et les températures fraîches. Les gelées n'étaient pas rares et le soleil avait bien du mal à réchauffer l'atmosphère en journée.

Anna avait proposé à Louis de dîner chez elle le mardi soir :

— Un repas rapide, avait-elle précisé, afin de passer du temps ensemble.

Elle avait dressé la table dans la salle à manger et elle avait préparé une coupelle de fruits secs pour compléter l'apéritif, elle avait déjà disposé les verres en cristal sur la table du salon. Elle avait hâte que Louis arrive, hâte de voir le tournant qu'allait prendre leur rencontre. Elle espérait qu'il la prendrait dans ses bras et qu'il l'embrasserait avec fougue et désir.

Anna portait les boucles d'oreille en diamant de sa mère, que son père lui avait offertes pour leurs quinze ans de mariage. Elles bougeaient au gré de ses mouvements. Anna voulait que sa mère soit un peu présente, ce soir. Elle connaissait sa manière si particulière d'être là sans être là, Anna savait ressentir sa présence.

Pour la soirée, elle avait opté pour une robe légèrement habillée qu'elle avait achetée lors de son séjour à Lyon en pensant à Louis. Elle voulait lui plaire, sentir qu'il la désirait.

Tout à coup, elle sentit l'ondulation d'un baiser à travers son corps. Cela la fit frémir, elle avait tellement envie de ce baiser que cela en devenait insupportable. Elle se dit que, ce soir, peut-être, Louis le lui donnerait.

Son souffle s'accéléra quand la sonnette de l'entrée retentit.

Anna alla ouvrir à Louis. Il déposa sur le meuble de l'entrée les deux bouteilles de vin qu'il avait apportées. Puis il la regarda avec une infinie tendresse et lui dit :

— Tu m'as horriblement manqué, Anna.

Il l'attira dans ses bras. Elle n'opposa aucune résistance et le laissa faire en se disant :

— Enfin !

Ses lèvres s'approchèrent des siennes et sa langue se pressa contre elles. Anna passa ses deux bras autour de son cou et l'embrassa avec ardeur. Louis lui rendit son baiser avec ferveur. C'était un baiser à la fois passionné, doux et très tendre, qui partait de son cœur et émanait d'elle comme une lumière incandescente. Elle mettait dans ce baiser tout l'amour qu'elle portait en elle, un amour enfin arrivé. Quand elle s'écarta de Louis, il avait fermé les yeux. Il les rouvrit lentement. Dans ses prunelles, elle vit le feu liquide miroiter comme de l'or fondu. À ce moment très précis, elle sut que lui aussi ressentait de l'amour pour elle. Anna respira à fond pour s'imprégner de son odeur et de sa chaleur. Louis lui fit un sourire à la fois séducteur et infiniment sensuel, en l'attirant à nouveau à lui. Anna se laissa aller, son souhait était exaucé et elle eut une pensée pour ses parents, qu'elle savait là dans cette pièce et si proches d'elle.

Anna était heureuse. Louis l'avait embrassée pour la première fois et elle avait ressenti de telles sensations que ses yeux pétillaient d'émotion. Elle était désormais certaine d'être en présence de l'homme qui lui était destiné. Elle était si bien dans ses bras. Elle avait enfin trouvé son port d'attache et y resterait ancrée à jamais.

Anna servit le dîner, Louis l'y aida. La soirée fut animée par différents sujets de conversation, qui leur permirent de se découvrir encore davantage. Ils s'aperçurent qu'ils avaient un certain nombre de points communs : tout comme Anna, Louis aimait les poètes provençaux, qui avaient bercé sa jeunesse. Une tendre complicité naquit entre eux, lors de cette soirée. Elle les rapprocha beaucoup. Instinctivement, leur rencontre était devenue comme une évidence.

Les premières heures de la nuit arrivèrent très vite et Louis dut rentrer. Anna descendit avec lui et tous deux allèrent promener Howard jusqu'à la place de la fontaine. Puis Louis la raccompagna jusqu'à la cage d'escalier et lui dit doucement :

— Chaque fois que je te vois, tu fais battre mon cœur plus vite. Tu me donnes l'impression d'être vivant. Je suis content de t'avoir rencontrée.

Puis il déposa sa bouche contre la sienne et il l'embrassa avec ardeur, un baiser qui sembla à Anna durer indéfiniment. Elle ferma les yeux et se laissa étourdir par un tourbillon de sensations.

Tandis qu'il regagnait sa voiture dans le silence de la nuit, Louis repensa à cette soirée. Anna lui plaisait beaucoup. Bien sûr, il la trouvait belle, mais il y avait autre chose en elle qui l'attirait plus particulièrement. Cette petite chose qui faisait la différence et qui la rendait unique à ses yeux. Il avait tout de suite été séduit par sa vitalité, sa manière de rire sans amertume ni méchanceté. Il y avait en elle plein de bonté, de gentillesse. Ces qualités la rendaient encore plus belle à ses yeux.

Le lendemain matin, Anna émergea doucement d'un sommeil agité et c'est avec bonheur qu'elle se rendit au travail. La soirée de la veille l'avait totalement transformée. Elle reçut un appel de Pierre le jeudi soir :

— Un magasin de spécialités méditerranéennes vient d'ouvrir à Cuers. Je suis sûr qu'il va te plaire. Nous pourrions le découvrir ensemble samedi après-midi.

— Oui, pourquoi pas. Retrouvons-nous sur place. Pense à m'envoyer le nom de la rue…

Ils se retrouvèrent devant la boutique, comme prévu, le samedi après-midi vers 15 heures. Ils entrèrent et furent bien accueillis par une femme, sans doute la propriétaire des lieux. Anna prit un panier à l'entrée et fit le tour des rayonnages qui étaient bien achalandés. Beaucoup de produits venaient de Provence, mais on trouvait également des spécialités d'Italie et d'Espagne, un vrai délice en matière de choix.

— Cette boutique est vraiment superbe, dit Anna à Pierre.

— Je savais qu'elle te plairait.

— Tu me connais bien.

Anna fit quelques achats, surtout des denrées stérilisées et des produits sous vide, difficiles à trouver en grande surface. Après avoir déposé ces achats dans la voiture, ils se rendirent dans un bar à proximité. Anna souhaitait saisir cette occasion pour lui parler de Louis. Ils s'installèrent sur la terrasse pour profiter du soleil. Pierre héla le serveur.

— Pour nous, ce sera un Perrier citron et un panaché, s'il vous plaît.

— Pierre, il faut que je te parle, annonça Anna.

— Je t'écoute !

— Il y a quelques semaines, j'ai rencontré quelqu'un et ça se passe plutôt bien. Je crois que je suis à nouveau amoureuse. Je voulais que tu le saches.

— Je suis très heureux pour toi ! Je suis sincère. Une page se tourne ! Est-ce que cela remet en cause notre voyage au Maroc ?

— Absolument pas. Je veux profiter de ces vacances. On ne change rien.

Ils continuèrent à discuter un certain temps, puis Pierre lui proposa une balade à cheval au centre équestre de Cuers. Ils passèrent l'après-midi à arpenter les petits sentiers à travers la garrigue.

Les semaines se succédèrent. Anna et Louis se voyaient deux à trois fois par semaine en fonction des obligations de travail de Louis. Anna se sentait prête à consommer l'amour qu'elle avait pour Louis. Elle était maintenant suffisamment sûre de ses sentiments et avait entièrement confiance en lui.

Un samedi soir de février, elle l'invita à dîner à l'appartement. Pour fêter l'évènement, elle s'était acheté de beaux sous-vêtements noirs en dentelle. Il fallait marquer la circonstance. Elle se maquilla légèrement avec du gloss sur les lèvres et laissa ses cheveux onduler sur son dos. Elle choisit de porter sa robe légèrement décolletée en crêpe grège et ses escarpins noirs.

Quand Louis arriva, tout était prêt. Elle avait même pensé à anticiper la sortie nocturne du chien, afin de ne pas être dérangée. Louis l'embrassa tendrement, puis passionnément, en humant le parfum de ses cheveux. Anna lui rendit son baiser, puis s'écarta et ils allèrent au salon où ils discutèrent en buvant un verre de vin. Anna lui proposa de dîner et ils se dirigèrent vers la salle de séjour, tout en continuant à converser. Tout en mangeant, Louis posa sa main sur son bras nu. Il sentit sa chaleur se communiquer en lui et lui apporter des sensations. Anna, souriante, toujours poussée par cette joie de vivre qui ne la quittait plus depuis qu'elle l'avait rencontré, lui adressa le plus lumineux de ses sourires. Ils conversaient de choses et d'autres quand Louis se leva et lui prit la main, pour l'inviter à faire de même. Il la prit dans ses bras :

— Anna, mon amour, je t'aime, murmura-t-il contre ses lèvres. Au premier regard, j'ai su que c'était toi que j'attendais.

— Louis, tu es désormais essentiel à mon bonheur, lui répondit-elle.

Et il l'embrassa intensément, en éveillant en elle bien des désirs, qu'elle sut lui montrer. Louis passa sa main dans sa chevelure, sans cesser de l'embrasser, puis il fit glisser la fermeture éclair de sa robe qui tomba à ses pieds. Doucement, il lui caressa le ventre, pendant qu'elle déboutonnait sa chemise et que ses mains s'aventuraient sur son torse. Sa peau était tiède et parfumée. Une toison douce couvrait sa poitrine. Louis la prit dans ses bras et la transporta dans la chambre sur le lit. Il continua de l'embrasser fougueusement. Anna sentit une vague d'ardeur la submerger, elle ferma les yeux et s'y abandonna. Une tempête de désir montait en elle et elle laissa échapper un petit cri sous ses caresses. Louis passa sa main sous la fine dentelle de son bustier, qu'il dégrafa et jeta sur le lit. Puis ses doigts s'affolèrent de plus en plus sur son corps. Elle se tourna lentement sur elle-même, les bras levés pour lui donner libre accès. Puis elle se mit à le caresser également, la fièvre du désir les avait totalement envahis.

— J'ai envie de toi, déclara-t-il.

Anna s'arqua légèrement pour mieux accueillir son amant et, doucement, il fondit en elle. Elle sentit son poids sur son corps. Anna s'abandonnait encore et encore, en gémissant de plaisir. Dans la pénombre de la chambre, ils s'aimèrent et ne firent plus qu'un. Ils se laissèrent emporter par ce tourbillon de désir qui les enveloppa par magie. Ils s'aimèrent avec passion une partie de la nuit et firent l'amour longtemps. Au petit matin, ils s'endormirent enlacés l'un contre l'autre.

La nuit qu'Anna venait de passer était la plus belle qu'elle avait vécue depuis des années et ce fut remplie de joie qu'elle se réveilla auprès de l'homme qu'elle aimait passionnément. Elle voulait être tout à lui.

Louis dormait encore, elle regarda son visage, contempla la finesse de ses traits, ses lèvres bien ourlées et les petites ridules autour de ses yeux bordés de cils noirs. Quand il se réveilla, il entoura Anna de ses bras puissants et l'embrassa tendrement. Elle trouva ce moment délicieux. Elle était si heureuse que ses yeux s'embuèrent légèrement. Elle avait tellement attendu ce bonheur... Louis sourit et sécha sa larme de bonheur avec une infinie tendresse. Ensuite, il ramassa ses vêtements épars dans le séjour et la chambre à coucher et se rhabilla. Pendant ce temps, Anna enfila son déshabillé et gagna la cuisine. Louis vint la rejoindre et l'embrassa au coin des lèvres, en lui disant :

— J'ai l'impression que, tous les deux, nous devions nous rencontrer.

Louis observa son rituel du matin et lui demanda :

— Que fais-tu aujourd'hui ?

— Rien de particulier.

— Veux-tu passer l'après-midi au château avec moi ? Je te présenterai à ma mère.

— Oui, je veux bien.

Et Anna alla se réfugier dans ses bras.

Hélène sursauta en entendant claquer la portière d'une voiture. Par la fenêtre, elle vit une jeune femme qui regardait autour d'elle.

— Anna est bien jolie, se dit-elle.

Elle vit son fils se diriger vers Anna. Elle alla les rejoindre sur le perron.

— Maman, je te présente Anna, la jeune femme dont je t'ai parlé, dit Louis.

— Enchantée. Je suis ravie de faire votre connaissance. Soyez la bienvenue.

— Bonjour, Madame Fressac.

— Oh non ! Appelez-moi Hélène.

Anna lui sourit en acquiesçant. Tout en échangeant des politesses, ils rejoignirent le salon.

Hélène proposa un verre de vin blanc qu'elle servit accompagné de petits biscuits et de macarons. Tous les trois se mirent à discuter. Anna fut surprise par la courtoisie et la gentillesse que lui témoignait madame Fressac. Louis proposa ensuite à Anna de lui faire visiter le domaine en commençant par le vignoble. On apercevait des hectares de vignes à perte de vue et, plus haut sur la colline, se déployaient des oliviers, des figuiers et des amandiers. Une très belle propriété, se dit-elle. La vue était tout simplement magnifique.

— Le champ d'amandiers doit être beau au printemps, lança Anna.

Louis lui répondit :

— Les Fressac cultivent leurs terres avec amour depuis plusieurs générations. Le domaine s'est agrandi au fil des années. Une petite équipe est présente tous les jours pour le faire fonctionner correctement.

Après avoir fait le tour des terres, Louis emmena Anna vers le lieu de stockage des olives, qu'ils contournèrent pour aller à l'atelier de concassage des amandes. Il lui fit découvrir la salle de production de nougat.

Avant d'y pénétrer, ils s'arrêtèrent dans un sas, revêtirent une charlotte, un masque, des surchaussures et se nettoyèrent les mains avant d'enfiler des gants. Anna fut surprise de voir que Louis connaissait parfaitement les consignes sanitaires à respecter pour entrer dans la salle de fabrication.

— L'atelier de nougat est très rentable, lui indiqua-t-il.

Il expliqua à Anna les différentes étapes de fabrication permettant d'obtenir un mélange parfait.

Plus tard, il la conduisit au chai. Tous ces tonneaux alignés sur plusieurs rangées étaient beaux à voir, surtout pour qui aime tout ce qui concerne le vin.

— Le maître de chai est absent cet après-midi, nous sommes seuls dans cette cave ! dit Louis à Anna.

Elle se rapprocha de lui et dit avec un sourire qui en disait long :

— Vraiment seul ?

Louis la prit immédiatement dans ses bras et l'embrassa avec vivacité. Anna lui rendit son baiser avec passion. Il aperçut les yeux d'Anna qui rayonnaient de plaisir et d'amusement. Il la serra un peu plus fort contre lui et elle se laissa aller. Brusquement, elle fut emportée par un tourbillon de sensations qu'elle ne contrôlait plus, tant l'envie était forte. Louis commença à la caresser, en passant sa main sous son pull, ensuite il fit des allers-retours entre ses seins et le haut de ses cuisses. Anna gémissait de plaisir, son corps brûlait d'un désir intense et elle se frottait contre lui en guise de consentement. Puis elle desserra sa ceinture et déboutonna son pantalon, pendant qu'il faisait tomber sa jupe. Louis la prit là, derrière le gros tonneau de vin rouge de quintessence. Ils firent l'amour intensément. Anna se demandait si elle rêvait. Elle était si heureuse que cela lui semblait irréel, trop beau pour être réel. Pourtant, le bonheur était vraiment là pour elle. Enfin.

Après ce moment d'extase, Louis et Anna regagnèrent le château où ils furent accueillis par Hélène. Les discussions reprirent, ils parlèrent entre autres de la propriété. En détaillant la pièce, Anna remarqua la grande bibliothèque de style Louis-Philippe. Beaucoup d'ouvrages y étaient soigneusement rangés. Elle nota en particulier la collection de livres de Marcel Pagnol, mais ne dit rien. La pièce était bien agencée grâce à différents petits meubles de style Louis-Philippe. Sur un secrétaire trônait un bouquet de fleurs. L'endroit était très spacieux et harmonieux. Les murs étaient parés de teintes claires. Anna se sentait bien dans cette pièce, et la présence d'Hélène la réconfortait. Elle était chaleureuse à son égard et Anna ressentait entre elles deux comme une aura protectrice. C'était surprenant, une sorte de lien, indéfinissable, qui lui plaisait beaucoup, car elles se connaissaient très peu. Quand elles se parlaient, Anna remarquait ses yeux remplis d'une bienveillante tendresse à son égard. On pouvait presque y lire de l'amour, cet amour maternel qui lui manquait tant… Elle sentait qu'Hélène pouvait lui apporter le réconfort dont elle avait besoin, en plus de l'amour que lui portait Louis.

Lorsqu'il commença à se faire tard, Anna décida de rentrer. Au moment des au revoir, Hélène la prit dans ses bras et l'embrassa tendrement :

— À bientôt, Anna, lui dit-elle.

Anna fut surprise par cet élan si chaleureux qui fit tant de bien à son cœur. Elle répondit en lui adressant un large sourire :

— À bientôt, Hélène.

Anna était ravie de cette accolade, à laquelle elle ne s'attendait pas.

Louis la prit par la main et ils se dirigèrent vers le parking, où Anna avait garé sa voiture. Avant de la laisser partir, il la reprit une dernière fois dans ses bras et l'embrassa passionnément, en la serrant très fort contre lui. Quand il desserra son étreinte et s'écarta d'elle, il lui dit :

— Je t'aime. Sois prudente, mon amour, lui lança-t-il.

— À très bientôt, Louis. Je t'aime.

Anna monta dans sa voiture et s'éloigna du domaine. Louis retrouva Hélène dans le salon.

— Tu l'aimes beaucoup, n'est-ce pas ? lui demanda-t-elle.

— Oui, reconnut Louis. J'espère qu'elle ne te déplaît pas.

— Non, loin de là ! C'est une jeune femme ravissante et très agréable. Je serais ravie de mieux la connaître. Tu as beaucoup de chance de l'avoir rencontrée.

— Merci, maman. Ton ressenti est important pour moi. Je veux refonder une famille et, avec Anna, je sens que c'est possible.

— Je suis si heureuse pour toi, Louis. Du bonheur dans cette maison, cela commençait à bien nous manquer, ne trouves-tu pas ?

Louis sourit à sa mère.

14

Le mois de février passa vite. Anna commençait à penser à son séjour au Maroc. Il fallait qu'elle prenne le temps d'en parler à Louis. Jusqu'à présent, elle avait toujours repoussé le moment. Ce soir-là, Louis devait venir la chercher, il avait réservé une table dans une auberge. Elle voulait profiter de ce moment pour lui annoncer son projet. En effet, elle devait lui présenter ses amis à la villa en fin de semaine lors d'un apéritif dînatoire. Elle avait déjà tout organisé avec le traiteur, qui passerait la livrer le samedi à 16 heures. Elle avait sélectionné de bonnes bouteilles de vin dans la cave de son père, dont un millésime rouge du château Fressac. Louis en serait sûrement content. Anna espérait que Louis apprécierait ses amis, cette étape était importante pour elle. Elle se devait de faire en sorte que cette soirée soit parfaitement réussie.

Mais, pour le moment, il fallait annoncer à Louis que, dans trois semaines, elle partait avec Pierre passer une semaine dans un riad au Maroc. Louis et Anna s'attablèrent dans la petite auberge de Besse-sur-Issole. Louis était d'humeur radieuse et, à la fin du repas, avant de commander les cafés, Anna se décida :

— Louis, j'ai quelque chose à te dire.

— Ce n'est pas grave, j'espère ? s'alarma-t-il.

— Oui et non…

— Tu m'inquiètes ! Je t'écoute.

— Avant notre rencontre, Pierre a gagné un voyage pour deux personnes au Maroc. Par gentillesse, il m'a proposé la place invitée, que j'ai acceptée après réflexion. Comme je te l'ai dit précédemment, je le considère comme mon frère et il n'y a aucune ambiguïté dans nos sentiments. Je sais aussi comme cela peut paraître étrange, mais il en va ainsi. Il est mon ami, j'ai toujours pu compter sur lui. Au décès de mes parents, heureusement qu'il était là. Il m'a beaucoup aidée à sortir du trou noir dans lequel je me laissais tomber. Il a toujours été présent pour moi et c'est important que tu puisses lui faire confiance.

— Anna, j'ai totalement confiance en toi. Tu es la jeune femme la plus émouvante, la plus attachante que j'ai jamais rencontrée. Mais je ne pourrais pas supporter que tu sois loin de moi durant toute une semaine. J'ai bien entendu tout ce que tu m'as dit. Je sais combien je t'aime. Pour moi, plus rien n'est comme avant. J'ai besoin de toi, de ta présence. Je n'ai pas envie de te voir partir pour le Maroc, mais je n'ai pas le droit de te refuser ce voyage… Pour quand est-il prévu ?

— La première semaine d'avril. Nous prenons l'avion le samedi après-midi, répondit Anna.

— Donc dans trois semaines. C'est bien, cela me laisse du temps pour, peut-être, trouver une solution.

Il prit sa main et y déposa des baisers brûlants. Anna se sentit soulagée que Louis réagisse ainsi, conformément à l'image qu'elle se faisait de lui : un homme bon, généreux, conciliant… l'homme dont elle rêvait. Elle posa sa main sur la sienne et le regarda. Dans ses yeux noisette, elle lut une passion intense, un amour immense. Elle se savait éperdument aimée et cela lui plaisait bien, même beaucoup…

La semaine se termina au gré des journées de travail, tandis que le soleil commençait à reprendre des forces, et le samedi tant attendu par Anna arriva. La villa était prête à recevoir ses amis et Louis. Anna arriva aux Establettes vers 15 heures avec Howard, pour organiser les derniers préparatifs du dîner. Elle avait acheté un bouquet de fleurs pour égayer le salon et le déposa dans le vase sur le guéridon. Un peu plus tard, le traiteur se présenta et elle rangea les différents plateaux au réfrigérateur.

Anna était anxieuse, elle appréhendait cette soirée. Elle pensait à Louis, elle voulait qu'il soit là, qu'il la rassure. Elle l'aimait tellement. Tout à coup, le carillon de l'entrée sonna. Anna alla ouvrir, c'était Sophie et sa petite famille.

— Nous sommes un peu en avance, précisa Sophie.

— Pas d'inquiétude. Bonjour, les petits loups ! dit Anna aux enfants avant de les embrasser.

Les enfants étaient joyeux de retrouver Anna et ils se mirent à lui raconter certains évènements de la semaine passée.

— Alors, c'est le grand jour ! dit Sophie, en regardant son amie. Nous allons enfin rencontrer Louis.

— D'ailleurs, il ne devrait pas tarder, lui répondit Anna. Je suis sûre qu'il va te plaire.

Anna faisait la lecture avec Ugo, lorsque Louis arriva et c'est Sophie qui alla ouvrir la porte.

— Enchantée ! Je suis Sophie.

— Ravi de vous rencontrer, Sophie.

Louis entra et Anna vint l'accueillir à son tour. Ils s'embrassèrent tendrement.

Quand Pierre arriva, les enfants accoururent vers lui et il chahuta un moment avec eux dans l'entrée. Puis Pierre s'avança vers Louis, Anna fit les présentations d'usage, ils se dirent bonjour avec bienveillance et entamèrent la discussion jusqu'à ce qu'Anna propose à ses hôtes de s'installer confortablement autour de la table du séjour. Pendant ce temps, elle alla chercher plusieurs bouteilles de vin, qu'elle ajouta à ce qu'il y avait déjà sur la table. Sophie l'aida à apporter les plateaux harmonieusement remplis de petites bouchées et de différents toasts. Les regarder donnait de l'appétit. Anna prit place à côté de Louis, et Sophie s'assit à côté d'elle avec Alice. Pierre préféra se mettre en face de Louis et Clément se mit à la droite de Louis avec Ugo.

La soirée était bien rythmée, et les conversations allaient bon train. Anna était lumineuse, elle riait avec Sophie, elle était heureuse et cela se voyait. Souvent, Louis la regardait avec des yeux remplis d'amour. Elle était assise si près de Louis que, régulièrement, elle calait son genou contre le sien, en le regardant avec complicité. La soirée se déroula merveilleusement bien. Ses amis adoptèrent Louis dans leur cercle, elle en fut pleinement heureuse. Elle savait que Louis les appréciait aussi. Elle remarqua son comportement, sa gentillesse exquise envers eux. Quel bonheur pour Anna ! Un instant, elle leva discrètement les yeux au ciel et remercia ses parents. Elle savait que ce bonheur venait d'eux, qu'ils avaient tout fait pour qu'elle retrouve enfin la lumière et la joie de vivre. Ils y étaient parvenus. Dans sa tête, elle fit une prière pour les remercier et pour qu'ils reposent en paix.

En fin de soirée, Louis accompagna Anna dans la cuisine, où il l'embrassa avec ferveur. Puis il lui dit :

— J'aime beaucoup tes amis. Tu les as bien choisis, ils sont bienveillants avec toi et cela me plaît beaucoup. J'ai quelque chose à te proposer. Veux-tu que je t'accompagne à Marrakech ?

— Tu peux te libérer de tes obligations pendant une semaine ? lança Anna.

— Disons que je me suis arrangé avec mon agenda.

— Oh, mon amour ! Je t'aime !

Et elle l'embrassa.

— Tu veux bien que je demande à Pierre si je peux me joindre à vous dans le riad.

— Fais comme tu le sens, lui répondit Anna.

Ils regagnèrent le séjour.

— Pierre, j'ai une demande à te faire, commença Louis.

— Je t'écoute.

— Puis-je vous accompagner au Maroc, Anna et toi, et loger dans le même riad que vous ?

— Bien sûr, Louis. Tu es le bienvenu. Et cela me fait extrêmement plaisir pour Anna.

Anna sourit à Pierre en guise de remerciement. Son bonheur était à son comble.

Tard dans la soirée, les invités quittèrent la villa. Louis, fou de bonheur, prit les lèvres d'Anna et l'embrassa passionnément. Éperdue, elle répondit à son baiser avec ferveur et ils se laissèrent emporter par l'élan de leur désir. Leurs cœurs battaient la chamade et, dans un souffle, en s'écartant légèrement de sa bouche, elle lui dit :

— Je t'aime, mon amour.

Louis la regarda en silence, comme émerveillé. Il l'étreignit encore plus fort contre lui. Anna se blottit contre son corps. Elle sentit sa chaleur l'envahir, puis l'euphorie reprit entre eux et le désir les submergea.

Louis resta coucher pour la première fois à la villa. Anna pensait si fort à ses parents que, cette nuit-là, elle rêva d'eux. Elle entendit la voix de sa mère :

— Mon ange, tu as suivi nos conseils. À présent, tu es dans la lumière et le bonheur est arrivé jusqu'à toi. Tu as une nouvelle vie devant toi. Vis-la pleinement. Nous serons toujours près de toi à notre manière, ne l'oublie jamais. Louis est un homme bon, tu l'as bien choisi. Vous formez un joli couple tous les deux. Papa et moi sommes sereins maintenant, nous savons que tu es heureuse. Tu n'as plus besoin de nous et nous allons poursuivre notre chemin vers la béatitude. Souviens-toi que nous ne sommes jamais très loin de toi. Au revoir, mon ange. Papa et moi t'embrassons et t'aimons très fort.

Anna se réveilla. Elle sentait la présence de ses parents. La pièce était devenue froide, comme à chaque fois qu'elle rêvait d'eux. Dans sa tête, elle s'adressa à eux pour les remercier de tout ce bonheur. Elle savait qu'ils y étaient pour quelque chose. Elle fit une prière pour leur rendre grâce. Puis elle se leva doucement afin de ne pas réveiller Louis. Elle alla devant la fenêtre de la cuisine et regarda le ciel en plongeant son regard aussi loin qu'elle le pouvait, comme pour accompagner ses parents vers la sérénité. Elle était pieds nus, avait les cheveux en désordre sur ses épaules, lorsque Louis arriva silencieusement et la prit dans ses bras. Tous deux contemplèrent le jardin que la lune éclairait d'une lumière douce. Louis l'embrassa dans le cou et lui dit :

— Anna, je veux que tu sois ma femme.

Surprise par ces mots, elle se retourna. Elle distinguait bien son regard dans la pénombre, un regard rempli d'amour.

— Louis, c'est précipité !

— Et alors ? Je t'aime.

— Moi aussi, je t'aime. Je t'aime tellement... Bien sûr que je veux être ta femme, mon amour.

Elle embrassa Louis tendrement, puis avec plus de passion. De nouveau avides d'écouter leurs désirs, ils se dirigèrent vers la chambre.

Épilogue

Les mois passèrent et le jour de leur mariage arriva. En cette belle journée d'août, le soleil était au rendez-vous. Le domaine vibrait de joie, les invités étaient nombreux. Anna avait l'impression de vivre un rêve éveillé. Elle était vêtue d'une jolie robe en dentelle, qui laissait pointer un petit ventre arrondi. Ses cheveux étaient recouverts d'un voile vaporeux. Après avoir prononcé ses vœux d'une voix claire, elle se tourna vers Louis et lui fit un sourire éclatant de bonheur.

Anna était enceinte d'un petit garçon, qui devait naître au printemps pour le plus grand bonheur de la famille Fressac. Elle vivait au château avec Louis et Hélène. Elle avait quitté son emploi au laboratoire pharmaceutique pour devenir salariée du domaine, en tant qu'experte-comptable. Elle avait vendu son appartement à Carnoules et Pierre lui louait la villa.

Anna allait devenir maman et Louis la couvait d'amour.

Remerciements

Mes sincères remerciements :

– À mon éditeur, Le Lys Bleu, qui permet aux jeunes auteurs, comme moi, d'être publiés, pour son accompagnement ;

– À Anabelle Boissard pour son coaching et son travail d'experte ;

– À la photographe du studio C. Foto à Evreux pour sa disponibilité ;

– Aux lecteurs et lectrices de faire confiance à ce récit.

– À ma famille, mes proches pour leur soutien et leurs encouragements.

Imprimé en Allemagne
Achevé d'imprimer en novembre 2021
Dépôt légal : novembre 2021

Pour

Le Lys Bleu Éditions
40, rue du Louvre
75001 Paris